JN034528

府県制度改革批判

——地方制度調査会の
答申をめぐって——

田　中　二　郎
俵　　　静　夫
鵜　飼　信　成

有　斐　閣

序

府県制度の改革問題を中心として地方制度の根本的改革を検討して来た第四次地方制度調査会は、去る十月十七日の総会において、その答申案を決定し、翌十八日、内閣総理大臣に対し「地方制度の改革に関する答申」を行った。

地方制度調査会においては、府県制度の根本的改革を検討するに当って、現行制度の問題点及びその改革の方針について、特に地方自治制度のあり方に関し、著しい見解の対立が見られたので、強いて一本の案にしぼることをせず、官治的色彩の強い地方制を採用し一挙に問題を解決しようとするいわゆる道州制的な考え方による「地方」案と、現行府県の性格を維持しつつ区域の統合・事務の再配分による府県と市町村の機能の分化等によって問題を解決しようとするいわゆる府県統合案、すなわち「県」案の両案を、それぞれ多数案・少数案として総会に提出し、ここでこの両案について慎重に審議した上、採決を行った。その結果、「地方」案を採択することとなったが、少数意見を尊重する趣旨で「県」案を参考意見として添付して答申した。

この答申案は、第二次地方制度調査会及び第四次地方制度調査会を通じ、長い期間にわたる慎重な審議の結果、まとまったものであるが、なお多くの問題点を包含しているのみならず、これを基にして具体的立案の段階に移す前に、検討を要する重要な問題を将来に残しており、見方によっては、ただ一応の方向を指示したにすぎないということもできる。しかも、この案の指示する方向そのものについても、地方自治を軽視し、中央集権的官僚支配の方向を示すものとして、各方面から痛烈な批判が加えられている。従って、この答申が短日月の間に早急に具体化されようとは考えられない。しかし、これが具体化されると否とに拘らず、この答申を契機として、新たな動きが生ずるであろうことは疑いを容れない。

そこで、われわれの惧れるのは、地方制度は、国の制度として極めて重要であるばかりでなく、われわれ国民にとっても極めて緊密な関連をもった制度であるにも拘らず、その動向について、従来、一般国民の間に余り関心がもたれず、新聞等の批判も線香花火的に消え失せ、何時の間にか関係当局者の手によって一歩一歩改革が進められて行くのではないかということである。われわれとしては、わが国の地方制度が正に岐路に立っている今日、国民の一人一人が、この問題に多大の関心をもち、地方制度のあるべき姿を考え、今後の制度改革の動きを監視するようになることを希望せざるを得ない。この意味において、今回の「地方制度の改革に関する答申」を中心として、府県制度改革案の構想を明らかにし、その問題点を検討することによって、読者の判断に参考となる資料を提供したいと考えたのである。

われわれは、多年地方自治について研究を共にして来たが、われわれの考え方は、必ずしも一致しているわけではない。地方自治のあり方については、むしろそれぞれ異った意見をもっているといってよい。ところが、こんどの答申については、期せずして、大体、反対の考え方をしている点において一致しているようである。しかし、われわれは、われわれの考え方を読者に押しつけようというようなおこがましい考えは毛頭もっていない。むしろ読者の批判と叱声を得て虚心に改めるべきものは改めたいと念じている。本書の拙い試みが地方制度に対する一般の関心を呼び起し、読者に何ほどかでも役立つところがあれば、われわれの望みは達せられたものといわなければならぬ。

昭和三十二年十一月二十日

編　者

目次

論説

府県制度改革案の批判

田中二郎

はしがき

府県制度の根本的改革について審議を続けて来た第四次地方制度調査会は、去る十月十七日の総会において答申案を決定し、翌十八日これを政府に答申した。

この答申がどのような経緯の下に成立したかについては、後の討論において、詳細に述べているので、ここには繰り返えさないが、この答申は、現行府県制度に根本的改革を加えようとするもので、多年にわたる論議に一応の結論を与えたものとして注目に値いする。すでに新聞等においても、この答申をとりあげ、これに対して痛烈な批判を下しているが、問題が重要性をもっているだけに、今後、幾多の論議をまきおこし、多方面からの検討と批判との対象とされることであろう。

その際、現行の府県制度の改革の必要性を認めながらも、その必要性の認識は、人によって著しく異なるであろうし、従ってまた、その改革の根本方針又は基本構想やその具体的内容についても人によって考え方が甚だまちまちとなるであろうことが予想される。答申自身に、多数意見として採択された「地方」案、すなわち道州制案のほか、少数意見であった「県」案、すなわち府県統合案を参考意見として添付しているが、この二つの案は、全くその構想を異にし、その具体的内容を別にするもので、単なる参考意見としてではあるが、これを添付して答申したということは、このたびの答申が、最終的な結論を出したというよりは、一応の結論を示し、将来の検討に委ねるという意味合いをもつものということもできよう。従って、今後、幾多の論議を通して、よりよい案を作り出すよう努力する必要がある。私は地方制度調査会において、地方案すなわち道州制案に賛成し得ず、あえて、「県」案すなわち府県統合案を主張したのであるが、何故、地方案に賛成し得ないかについて、私の考えるところを述べておきたいと思う。これが、地方案の実現を慎重にし、よりよい改革案の立案にいくらかでも役立つところがあれば、幸である。

私は順序として、まず府県制度改革の必要性を検討し、どういう背景の下に、府県制度改革に関する二つの構想が生れたかについて述べることにしたいと思う。

一　府県制度改革の必要性

地方制度調査会は、現行府県制度は根本的に改革する必要があるという結論に基き、具体的にその改革案を検討することになったが、その改革の必要性という点について、委員間に意見の一致があったわけではない。第一に、府県制度のおかれている客観的条件の変化に伴って、府県制度に改革を加える必要があるということがいわれるが、この点についても、その必要度の認識において、かなりの相違が見出される。一方においては、府県の廃止まで推し進めなければ、新らしい事態の変遷に応じ得ないと考える者があり、他方においては、現行制度のままでも、十分にそれに応ずることができると考える者もある。第二に、戦後の新らしい府県制度実施の経験に鑑み、現行府県制度に根本的欠陥があることが明らかとなったので、これを是正する必要があるということがいわれるが、この点についても、現実の欠陥又は弊害とされるもののすべてを、現行府県制度の責に帰する者もあれば、その多くが、むしろ、国の行政機構又は行政運営の方法の欠陥及び府県自治の未熟に由来するもので、必ずしも制度そのものの欠陥に基くものではないと考える者もある。

かように種々考え方の相違があるが、現行の府県制度が、国の側からは国家的要請にそわないものとして、強い攻撃の対象とされ、市町村の側からは、市町村自治の発展を妨げる「目の上のこぶ」的な存在として、その廃止の必要が強調される等、絶えず非難攻撃の的とされ、窮地に追い込まれて来たことは事実である。しかし、府県住民の立場から、府県住民にとって、府県の廃止又はその根本的改革の必要が主張されたことは、寡聞にして聞かない。それは、府県住民が府県制度について無関心であることに基くのであろうか。府県制度の改革を論ずるに当って、府県制度は府県住民のための、そして結局においては国民全体のための制度であって、その見地からいって、現行制度に根本的改革を必要とするかどうかという観点を見逃してはならないと思う。

かような見地に立って、府県制度の根本的改革を必要とする理由について、検討してみたい。

(1) まず第一に、府県のおかれている客観的条件の変化に応ずるための改革の必要性について。わが国が、今後、国際競争場裡において、その地位の向上発展を期するためには、狭い国土を最高度に利用し、徹底的に資源を開発する等の施策を行っていく必要があり、また、新たな社会経済条件の発展に伴い、社会保障、社会福祉、公衆衛生の普及徹底、教育その他の公共施設の維持管理等種々の面で、相当高い程度の水準を維持していく必要がある。のみならず、これらの行政を総合的な計画の下に能率的経済的に実施する必要がある。ところが、現行の府県の区域は、狭隘にすぎ、広域的な総合開発等の行政を行うに適せず、府県間の行財政能力のアンバランスは、一定の水準行政を行うことを妨げ、且つ、府県の完全自治体化は、各府県の割拠主義と国の出先機関の濫設をもたらし、各種行政の総合化と能率的経済的運営を阻み、新らしい情勢に即応する国家目的の達成を不可能ならしめている。かような意味において、現行府県の区域、性格等について根本的な改革を必要とする。殊に、町村合併の進捗により、市町村の行財政能力が著しく充実強化されるに至った今日、このような変化に即応せしめるためにも、現在の府県制度には根本的改革が必要である。——かような意見が、調査会において、終始、強力に主張された。

右の意見には、たしかに一部に正しいものがあり、無視し得ないものを含んでいる。しかし、仮りに、右の意見に現われたような国家的要請が実現されることが望ましいとしても、それが、一躍、府県制度の廃止を理由づけるものであろうか。府県制度の根本的改革を論議する前に、国の行政機構なり行政運営の方法なりに、根本的改革が加えられる必要があることはもちろん、それとの関連において、地方自治制度全般の根本的在り方が再検討され、その一環としての府県制度が論議されるべきであって、府県制度の改革だけを切り離してとり上げて見たところで、殆ど解決の期待しがたい問題ではないかと思う。しかし、こういう根本論はしばらく措いて、ともかく現在の府県制度だけについて見ても、新らしい客観的条件の変化に応じて、改革の必要があることは、否定できないであろう。そこで、その理由とされる点について、今少し立ち入って考えてみることとしよう。

（イ）その一つは、現行府県の区域は、総合開発、治山治水、災害防除その他いわゆる広域的行政を能率的経済的に処理する見地からみて、狭隘にすぎることとである。このことは、すでに地方行政調査委員会議（神戸委員会）の勧告においても指摘され、第二次地方制度調査会の論議においても、一般に承認されて来たことで、実際上にも、府県間の利害が対立し、意見の調整が困難を来していることが少くないこと、各府県が別個に計画を策定・実施する結果、全体として、経費の増嵩を来し、能率的な運営が困難になっている例のあることは、一般に認めるところである。従って、より広域の団体の存在が、これらの行政を行うために必要であることも、多くの人の認めるところといってよい。尤も、この点についても、広域的行政といわれるものも、その多くが現行の府県の区域で賄うことができるのであって、それ以上、広域に及ぶものは、国自らの行政として処理すべきである、とする意見もないではない。

（ロ）その二は、現在の府県の行財政能力には著しいアンバランスがあり、そのために、現代の福祉国家の要請に応ずる行政の一定水準の確保が、著しく困難になっていることである。今日、府県間に、財政力の著しい不均衡があるが、経済の発展に伴い、富裕な府県と貧困な府県との間の財政力の格差がいよいよ顕著となる傾向にあることが指摘される。現在のままでは、府県自治の財政的裏づけのために独立税を増強しようとすれば、いよいよ、この格差を著しいものとすることも明白である。府県間にかような財政力のアンバランスがあるために、一方において、地方財政の改善を妨げ、他方において、これが原因となって社会保障、公衆衛生等に関する行政や、道路、河川、学校その他公共施設の維持管理に関する行政等、全国的に一定水準を保って行われなければならない各種行政の実施に支障を来し、福祉国家の実現を妨げているということが主張される。このような一面のあることは否定し得ないところであろう。しかし、同時に、何が全国的に統一的な水準を保って行われなければならない行政であるかということ及び府県間の財政力のアンバランスを調整するより適当な方法がないかということも、併せて考究しなければならない問題であろう。

（ハ）その三は、戦後の改革による府県の完全自治体化及びこれに伴う知事公選制の実施が、種々の弊害を生じているということである。戦後、府県が完全自治体に改められ、知事公選制が採用されたために、国家的性格の強い行政について国の要請が充されないという理由で、国の事務の府県移譲を拒否し、国の地方出先機関を濫設し、その結果として、地方における総合行政の実施に障害を来していることは、事実であり、また、知事公選制の下では、選挙対策的な配慮から、補助金の総花的使用等、地方財政の効率的運用が妨げられ、行政全体の効果の向上を期待し得ないうらみがあることも、しばしば指摘されるところである。たしかに、現行の府県制度の下に、上に述べたような種々の弊害を生み出しているといえるであろうが、それがすべて、現在の府県の性格なり知事公選制にのみ由来するものと考えるべきかどうか甚だ疑わしく、根拠のない府県に対する不信を理由として、国が無用にその地方出先機関を濫設して、地方における総合行政の実施を妨げ、国の不当な補助金行政の運用によって、却って、地方財政の効率的適用に障害を与えていることが少くないことを反省する必要がある。

（ニ）その四は、町村合併の進捗により、市町村の規模は大きくなり、その行財政能力が充実して来たので、これに応じて、府県の規模、性格、機能等も、当然、改革されなければならないということである。昭和二八年一〇月一日の町村合併促進法の施行により町村合併が強力に推進された結果、市町村の数は、昭和二八年九月三〇日の九八九五（内、市二八五、町一九七〇、村七六四〇）から、昭和三二年一〇月一日現在で三七八六（内、市五〇一、町一九二〇、村一三六五）に減少し、それだけ規模も拡大した。しかし、その結果、市町村の行財政能力が画期的に充実したとまでいえるかどうかについては異論を免れない。市町村の行財政能力の充実は、むしろ今後の課題として、将来の施策に俟つものが多いと見る見方の方に理由があるように思われる。しかし、ともかく市町村の規模も大きくなり、大都市はもとより一般の市町村でも処理し得べき仕事が多くなる傾向にあることは事実であろうから、これに応じて、市町村を包括する中間団体についても、その規模の拡大その他事務及び財源の配分に関し、改革を検討すべきであるということはいえるであろう。

(ホ) その五は、国及び地方に通じ、行政全体を総合的に且つ能率的経済的に運営し、いわゆるチープ・ガヴァメントの要求に応じなければならぬということである。このことは、既に前に触れたことであるが、現行の府県と市町村との二重構造は、二重行政の弊を生じ、経費の増嵩を来しており、国の地方出先機関の濫設は、――国と府県との協同の欠如もその一因として加わり――地方行政の総合的能率的な運営を妨げることとなり、それだけ、国民負担の過重をもたらしているということがいわれる。たしかに、現行府県制度は、チープ・ガヴァメントの要請を充しているとはいえない。しかし、行政内容としてとりあげるべき対象が現在のままに存続する限り、問題はこれらの行政をどういうふうに行うのが、最もよくその目的に適合するかの点にあるのであって、能率的経済的な運営を確保するという観点とともに、民主的な組織及び運営を保障するという観点を考慮に入れる必要があるのである。

以上述べたところは、現在府県のおかれている客観的条件の変化に伴い、国全体の立場から、府県制度は根本的に改革する必要があることの理由として主張されていることであるが、このほかに、主として、市町村の立場から、府県制度の根本的改革——その廃止——の必要が主張されて来た。次にこれに触れておく必要があろう。

(2) 市町村の立場から見た府県制度の根本的改革——その廃止——の必要について。戦後における道州制論は、五大市とこれを包含する五大府県との間の事務及び財源の配分をめぐる紛争にその端を発したといってよい。五大市は、大都市行政の特殊性に即応した制度として地方自治法の認めた特別市制の施行を要望し、五大府県は、特別市制の施行は、一体的な府県行政を分断し、特に残存郡部の行政を混乱に陥れるものとして真正面からこれに反対し、ここに両者の宿命的な対立をもたらすこととなった。そこで、この紛争に根本的な解決を与えるための一つの方策として、府県に代る道州制の検討が、重要な課題として登場することになった。道州制論は、右の紛争の棚上げ工作として提唱された観さえある。しかし、両者の対立感情はこれによって緩和されるどころか、却って激成される観さえ生じた。そしてその対立感情は、他の市町村にまで波及した。従って、現在、五大市が五大府県に対して有する感情は、多かれ少かれ、市町村が府県に対してもつ感情といえるのかも知れない。少くとも、市町村の行財政能力が充実強化されて来るに従って、五大市のそれに近づいて行くであろうことが想像される。五大市をはじめとして市町村側が、府県の廃止を主張するのも、結局は市町村にとって府県が「目の上のこぶ」的な重苦しい存在となって来ていることに基くのであろう。それでは具体的にどういう理由によって、府県の廃止を主張しているか。

（イ）その一つは、完全自治体として同じ性格をもった府県と市町村との二重構造は、理論的におかしいのみならず、実際的にも二重行政・二重監督の弊に陥らしめているということである。しかし、この主張には果して十分の理由があるであろうか。府県と市町村とが同じ区域を基礎として同じ機能を行う同じ性格の団体だとすれば、両者の併存は、理論的におかしいし、実際的に妥当でないことは明らかであるが、区域も異なり機能も違っているとすれば、同じく完全自治体であることは、理論的に決しておかしくはないし、実際的に妥当でないとはいえない。従って問題は、現行の府県と市町村との間に、どの程度の機能の重複とそれによる経費の無駄が生じているかということ、及び仮りに機能の重複とそれによる経費の無駄があるとして、両者間の調整が果して不可能であるかということにある。現在、一部に機能の重複があること及びその結果として国全体の見地から見て、いくらか経費の無駄が生じていることは否定できないようである。しかし、これは、両者の調整によって是正することを考えればよいのであって、それほど重要な問題ではない。（最も問題だとされる大阪市と大阪府との間について見ても、二重行政の弊は殆ど問題とするに足りない）。まして、これが府県を廃止する理由とされ得るとは絶対に考えられない。市町村の区域を超えて行われるべき地方的広域行政の必要性は、絶対に否定し得ず、この点だけからいっても府県の廃止は軽々に断定され得ないからである。また、しばしば、二重監督の弊が指摘されるが、完全自治体としての府県と市町村とは全く対等であって、その間に上下の関係又は監督・被監督の関係があるわけではない。いわゆる監督は、むしろ、国の機関的立場における監督であって、これは、完全自治体としての府県の存廃に拘わりなく、国の行政の一環として措置され得べき問題である。従ってこれを理由として府県の廃止を主張するのは的はずれの議論という外はない。

（ロ）その二は、府県の存在は、市町村自治の発展を阻害しているということである。市町村の行財政能力が充実強化してくれるにつれて、市町村にとって、府県の存在が重苦しい存在と感ぜられ、若し府県が廃止され、府県の事務と財源がころがり込んで来れば、市町村は、より広汎な行政を自己の負担と責任で自主的に処理することができると考えるのもわからないわけではない。府県の存在がそういう期待の実現を妨げているという意味においては、市町村自治の発展に対する障害になっているといえるのかも知れない。しかし、問題は、現在の市町村の規模と能力とを基礎として、一体、どれだけの行政を行うことができるかにある。府県に代って市町村の行い得る行政の範囲は極めて限られたものであり、府県の廃止によって府県行政の多くが国の出先機関の手に吸い上げられるであろうことを考えると、地方自治の幅は、それだけ狭められる結果とならざるを得ない。従って地方自治を守るという見地からいえば、軽々に府県の廃止を主張するわけにはいかない。

（ハ）その三は、大都市行政の特殊性を考慮する必要があるということである。このことは、すでに事務配分その他の点において、大都市行政の特例として認められているところで、今後なお検討すべき問題もあるであろう。しかし、それは、府県制度の廃止又はその根本的改革とは直接関連のない問題であり、別途に解決され得る問題といってよいであろう。

上に述べたように、府県制度の根本的改革を必要とする理由として種々様々の理由があげられるが、そのすべてに合理的根拠があるわけではなく、時には、中央各省庁の立場とか市町村の立場とかだけが考慮され、地方の繁栄とか地方住民の福祉の向上発展とか――これがやがて国民全体の福祉に連なる――が顧みられていない嫌さえないではない。また、一応、尤もな理由のように見えるものでも、近視眼的に目前の若干の欠陥又は弊害に目を奪われて、遠い将来をおもんぱかる余裕を失った性急さの現われとしか思えないものもある。殊に、わが国統治構造の上における地方自治の重要性を考えずに、ただむやみに能率と経済とを強調する弊に陥っているのではないかについては、深く反省が必要とされるであろう。

かように考えて来ると、等しく府県制度の改革の必要性を認めながらも、さてこれをどのように改革すべきかという問題になると、そこに根本方針に差異を生ずることは、むしろ当然というべきであろう。地方制度調査会が、最後まで、二つの意見の対立を解消することができなかったゆえんもここにあるのである。

二　府県制度改革に関する構想

地方制度調査会においては、右に述べたような理由で、府県制度の根本的改革が必要であるとして、その具体案を検討することになったが、改革の必要性の認識の相違とわが国の統治構造のあり方についての考え方の差異に基き、様々の案が生れることとなった。その構想は、恐らく十人十色といってもよいほどヴァラエティがあったといってよい。区域をどうするかという問題についても、現行の府県の区域をそのままにして事務と財源の再配分によって解決しようとする案、広域的行政の要請に応ずるために、二三府県を統合しようとする案、ブロック単位の道州制を採用しようとする案等、様々の案があり、また等しく道州制を主張する者の中にも、府県を廃止して官治道州制にしようとする案、同じく府県を廃止するが、国家機関的性格と自治体的性格とを兼ねそなえた道州制にしようとする案、府県を現行のままとし、その上に官治的道州制を設けようとする案、府県を国家機関的性格と自治体的性格を併せもったものとし、その上に官治的道州制を設けようとする案等、種々の案があった。中間団体の性格とか、首長の選任方法とか、事務及び財源の配分とかについても、多種多様の意見が出たのも当然であった。

かように様々の具体案が考えられたが、それらの中に二つの根本的に異なる流れが看取された。その一つは、主として国家的な立場に立って、現在、行政に課せられた任務を考え、各種行政の総合的能率的経済的運営を図り得るように府県制度の根本的改革を行おうとするのであり、これが、道州制案——地方案——に結実することになった。他の一つは、地方自治の本旨の実現を重視し、現行府県制度の長所はいよいよこれを伸張するとともに、その短所は、それぞれに適切な具体的な対策を考えることによって、現在、行政に課せられた使命を果させようとするものであり、これが府県統合案——県案——に結実することになった。

この二つの構想の対立は、特別委員会においても、はっきりと現われていた。そこで小委員会でも、強いてこれを一本の案にまとめることをやめ、二つの案をそれぞれ最善の案とすることを考慮し、起草委員会においても、いわゆる道州制案、すなわち地方案と、府県統合案、すなわち県案の二案を起草することになった。そして、この二案が、小委員会、特別委員会において論議され、支持者の多数少数を明らかにして、総会にもち込まれることになった。

この二案の構想がどのように異ったものであるかは、それぞれの案の初めに掲げられた地方制度改革の基本方針を対比してみることによって容易に明らかにし得るので、ここで、いちいち具体的に述べる必要はあるまい。私は、かねて、府県統合案を主張して来たのであるが、地方制度調査会においては、去る十月十七日、委員五三人中出席委員三三人、地方案を支持する者一七人、県案を支持する者一二人、両案に反対する者四人という結果となり、地方案を多数意見として政府に答申したことは、さきに述べた通りである。しかし、従来の経緯に鑑み、県案もこれを参考意見として併せて答申したので、これを全然無視したわけではない。ただ、この二案は、根本的に異る立場に基いて成立したもので、具体的内容は相互に関連性をもっているので、アンブロックに何れの案をとるかが問題なのであって、政府が地方制度調査会の答申を尊重する立場に立つ限り、少数意見は、参考意見として殆ど意味をもち得ないのではないかと思う。そうだとすると、地方案が、今後の制度改革の方向を示すものといわなければならないことになるが、地方案の構想が果して実際に実現し得られるものであろうか、また若し、それが実現され得るとして、それは、果してわが国の統治構造のあり方として妥当なものであろうか。これは、すべての国民が十分に考えてみなければならない重大な問題ではないかと思う。そこで考慮されるべき問題点について、私の考えるところを述べて参考に供したいと思う。

（一） 私の統合案を主張する理由については、別稿（自治時報本年十二月号）に述べたが、本書の討論の中にもこれを明らかにしている。

三 地方案の問題点と批判

(1) 地方案すなわち府県廃止案は、内容的に種々の問題点を包含しているが、その内容について批判する前に、一応、これをめぐる憲法論に触れておく必要がある。

府県の廃止が憲法に違反するかどうかについては、意見が分れている。地方制度調査会においても、地方案を主張する人々はもちろんそれが違憲であるとは考えておらず、政府側（自治庁側）も、従来の国会における答弁を引用して、府県の廃止は違憲でないこと——尤も、都を廃止する結果として、特別区の存する区域のように、憲法でいう地方公共団体が全く存在しない区域ができるときは、違憲の疑いを生ずると説明し、この見地に立って、地方案では、現行の特別区の存する区域については、基礎的地方公共団体を設ける等必要な調整を講ずることとし、違憲の疑いを生じないように考慮しているのであろう——を主張したのに対し、社会党及び全国知事会等の代表委員の側からは、府県の廃止は違憲であること、少くとも憲法の精神に反することを強く主張した。

この点に関しては、学説も対立しており、本書でも俵、鵜飼両教授が特にこの問題をとりあげて論じておられるので、ここに改めて詳細に論ずることは差し控えるが、私の考えの要点だけを述べておきたい。

まず第一に、憲法に地方自治保障の規定をおいた歴史的意義を考えなければならない。旧憲法の下におけるわが国の地方自治制度は、官僚的色彩の強い制度で、殊に府県制度は真の地方自治の名に値いしないものであった。こういう過去の制度に対する批判に基いて、市町村のみならず府県をも含めて完全な自治体にする必要があるというのが、憲法第八章の地方自治保障規定を設けた本来の趣旨であったといえるであろう。連合国側の日本政府に示した最初の案に、府県及び市町村の首長の公選制を規定していたのは、その趣旨を示すものである。ところが、連合国と日本政府との接衝の過程において、府県及び市町村と具体的に規定することを避け、その代りに、冒頭に、地方公共団体の組織及び運営に関する事項は、地方自治の本旨に基いて、法律でこれを定める」という原理的規定を設けることとなった。このために、府県が憲法にいう地方公共団体であるかどうかについて、二つの意見が分れることにもなった。すなわち、一方では、府県という表現をやめ、地方公共団体という一般的な表現に改めたのは、将来、府県を完全自治体でなくする等、事態の推移に応じ、融通性をもたせるのが、そもそもの狙いであったのであり、従って、今日府県を廃止することも、憲法に違反するものではないと考えるのに対し、他方では、地方公共団体という一般的表現を用いてはいるが、およそ地方制度は、地方自治の本旨に基いて設けられるべきものであり、府県を廃止して、官治的色彩の強い「地方」を設けることは、地方自治の本旨に反するという考え方が生れる。前者の考え方にも一応の理由がないわけではないが、憲法の規定の設けられた歴史的意義を考え、殊にその精神を具体的に実現するために地方自治法を制定し、そこに府県を完全自治体として定め、一般にもこれをむしろ当然の措置として認めて来たことを考えると、爾来僅か十年、その間に社会情勢の特別の変化もないのに拘らず、突如として府県を廃止することが果して憲法の精神に合するといえるか、甚だ疑わしいと思う。

第二に、形式的に憲法にいう地方公共団体という中に府県が含まれるかどうかが問題とされるが、こういう形式論からすれば、肯定否定の何れの見解も成り立ち得るであろう。しかし、問題は、実質的にどのような制度が憲法の趣旨とする地方自治の本旨に合するかにあるのであって、若し、地方案の意図するところが、従来、府県を完全な自治体とし、これにある範囲の自治事務を認めて来たのを改めて、府県を廃止し、その事務の大部分を国の地方出先機関に吸い上げることにあるとすれば、それは、地方自治の本旨に合するゆえんであるとはいい難いであろう。私は、憲法の精神は、地方自治の本旨を実現することにあると考えるのであって、その精神からすれば、首都その他極めて特殊の事情の存するところに、完全自治体が全く存在しないようなことになっても、別にあえて憲法違反と考える必要がない反面、普遍的な地方公共団体たる府県を廃止して、その事務を国家機関の手に吸い上げるとか、官治的色彩の強い団体の事務とすることは、憲法の根本精神に対する違反の疑いがあるものと考える。

しかし、かような点については、種々意見が分れるであろう。そして結局水掛論に終るかも知れない。ただ、ここで注意すべきことは、憲法に違反しないということは、決して、案そのものが妥当であることを意味するものではないということである。仮りに憲法に違反しないとしても、少くともその疑いがあるとされる案を、現在の段階において、あえて主張し、それを実現しようとすることが果して妥当であるかどうか、これは、案そのものの内容とは別個に、反省する必要のある問題だと思う。今日、戦後に生れた諸制度を改廃して旧憲法時代の制度に戻そうとする動きが見られる。府県制度の改革が、そうした動きの一環としての意味をもつとすれば、その改革案を立てるに当っては、戦後における憲法改正及びこれに伴う制度改革の趣旨を十分に尊重し、それを無視することのないように改革する必要がある。かような見地からいって、地方案は憲法との関係においても、憲法の歴史的意義の反省を欠き、その精神についての十分の理解を欠いているように思われる。

(2) 次に、地方案の具体的内容の批判に立ち入る前に、その地方制度改革の基本方針に検討を加える必要がある。そこでまず第一に注意されなければならないことは、地方案は国家行政の便宜に重きをおき、専らその観点から地方制度の改革を行うことを企図し、地方自治又は地方住民の自治意識の向上発展を著しく軽視していることである。尤も、基礎的地方公共団体たる市町村の充実強化を図ることによって地方自治をより一層進展させようとしているようであるが、果してそれが可能であるかどうか、この点に関する十分の配慮をしていないように思われる。ここに第二に注意すべき点として、その立論の基礎となる事実の認識について重大な誤を犯しているように思われることを指摘しておかなければならぬ。その一つは、大都市はもちろん一般の市町村においても、町村合併のめざましい進捗により、近時画期的に充実されて来たとし、府県の事務の多くを市町村に移譲できることを前提として立論していることである。近時、市町村がある程度に、その行財政能力を充実して来たことは認めてよいであろう。しかし、現在の市町村は、一般にその規模も小さく、その能力の極めて貧弱な町村の存在すること、従って等しく市町村といっても、相互の規模、能力に著しい不均衡が存すること は、疑いのないところで、弱小市町村に対しては、新たな事務の移譲が殆ど不可能な事情にあることは、極めて明白であり、府県の補完的機能が必要であることは、従前と殆ど変りはない。この事実にあえて目を蔽って市町村自治の充実を論じているところに疑問が抱かれる。他の一つは、府県の事務は、いわゆる国家的性格を有するものがその大半を占めているとしていることである。およそ行政内容としてとりあげている事務は、多かれ少かれ国家的性格をもっているということができよう。しかし、そこで国家的性格をもつということは、地方的性格をもたないということを意味するものではない。実は国家的性格をもつと同時に地方的性格をもつ事務が甚だ多いのである。そのことを前提として、国と地方との事務配分が問題となる。警察も教育も各種の公共的土木事業も、見方によっては、国家的性格の強い事務といえよう。これらの事務が国家的性格をもつから国の機関が行うべきだとの論鋒をとるとすれば、すべての行政事務が、国の行政機関の手によって行われなければならないことになる。現在府県の行っている事務の多くが国家的性格をもっているというけれども、その多くは神戸委員会の勧告においても府県の自治事務とすべきものとし、その性質上からいっても当然府県に移譲して然るべきであるに拘らず、従来、中央官庁の強い抵抗によって国家事務に留保されているにすぎない。そのこと自体に問題があるのである。それにも拘らず、地方案は、事務そのものの性質・内容を分析し検討しようとはせず、その大半が国家的性格を有するものと断定し、公選知事をして処理させることが恰も条理に反するかのように判断しているのは解し難い。若しそういう考え方をおし進めて行けば、同じ論理によって市町村自治をも否定する結果となるのではないかと思われる。地方制度の改革を論ずるに当っては、行政事務の内容を分析し、国が全体の見地から企画し、統一的に実施しなければならない事務は国自らの機関によって行うこととし、国が全体の見地から企画するとしても、地方の実情に即し、地方の民意を反映しつつ実施すべきもの及び純然たる地方的事務は、その事務の性質・内容に応じ、市町村及びこれを包括する広域中間団体に配分することとするのが、筋の通った考え方ではないかと思う。現行法のとっている建前をそのまま是認し、これに応じて機構改革を行おうとするのは、本末顚倒のそしりを免れないであろう。

(3) 更に具体的に地方案の内容についてみると、ここにも幾多の問題がある。これらの問題点については、「討論」において、かなり詳細に論ぜられているから、ここではただ問題点をあげ、若干の疑問を述べるに止める。

(イ) 「地方」の区域の問題　地方案は、「地方」の区域について特に検討したわけではなく、ただ大体の構想として、七乃至九のブロックに分つこととしているだけである。国の行政区画として考える限り、七であろうが九であろうが、大した問題ではなく、当該行政の便宜に従って定めればよい。中国と四国を一のブロックとすることもできるであろう。しかし、それが自治体としての性格をもつものである以上、どのような目的をもつ自治体であるか（費用負担団体か事業協同体か等々）によって、その区域は著しく異なって来るであろう。「地方」がどういう目的をもち、どういう機能を果すべき自治体であるかが、この地方案では明らかにされていないので、その区域の当否はここでは批判の限りではない。仮りに地方が事業協同体として、総合開発その他いわゆる広域的行政を自主的に行う団体であるべきものとすれば、七乃至九のブロックは、却って広域にすぎて、その目的にそわない惧れさえあるのではないかと思う。ブロック単位に行わなければ効率をあげ得ないような事務事業は、むしろ国家行政に委ね、自治体としては、国家行政と並んで、地方的な開発を行うことが、真に、国土及び資源の最高度の利用と開発に資するゆえんではないかと思われる。

（ロ）「地方」の性格の問題　「地方」は地方公共団体としての性格と国家的性格とをあわせ有するものとすること。「地方」に執行機関としての「地方長」をおき、これが同時に、「地方」の区域を管轄区域とする国の総合地方出先機関たる「地方府」の長となるものとし、「地方」の職員には、国家公務員の身分を有するものと地方公務員の身分を有するものとを併用することが、地方案の構想である。この構想は、大体において旧憲法時代の府県をブロック単位に拡大したものといってよいであろう。その狙いは、国の地方出先機関を一本に統合するとともに、国の行政と「地方」の行政とを総合的効率的に運営することにあるようである。若し、この構想が実現されれば――現実の問題としては、各省のセクショナリズムに阻止されてその実現は極めて困難であり、また、必ずしも一本化する必要のないもの及び一本化することの不適当なものも含まれている――行政の能率的経済的な運営に資するところが少くないであろう。しかし、その結果として、警察その他殆ど一切の行政権を一手に掌握するところの未だ嘗つて見ない強大な権力の担い手が出現することになることを注意しなければならぬ。しかも、これが内閣総理大臣の任命する国家公務員であり、殆ど民主的コントロールの外におかれることになる――地方議会は「地方」の事務についてのみコントロールすることを注意すべし――ことは、惧るべき事実といわなくてはならぬ。

(ハ) 地方長の選任方法　地方長は「地方」の議会の同意を得て内閣総理大臣が任命するものとし、その性格は国家公務員とし、その任期は三年とすることとしているが、ここにこの案の最も著しい特色があり、この案に対する非難もこの点に集中しているといってよい。国の地方出先機関を一本に統合し、国の行政と地方の行政とを総合的に行おうとする以上、地方長の任命制を採用することは、むしろ当然であろう。この点を否定することは、地方案の構想のすべてを否定することを意味するといってよい。尤も、任命制とはいっても、「地方」の議会の同意を得ることを要件としている。地方の民意を反映せしめようというのであって、その意図は諒解されるが、結局は政府の意向によって任命されることにならざるを得ないであろう。このことは、「地方」の区域の行政が国の行政であると自治体としての「地方」の行政であるとを問わず、地方住民の方を向いて、その福祉の向上発展をめざしてでなく、中央政府の方を向き中央政府の指示によって行われるようになることを意味するといってよい。「地方」の議会は、内閣総理大臣に対し、地方長の罷免を請求することができ、地方の民意を反映する途は拓かれているが、同時に、内閣総理大臣は、職務上の義務違反等一定の場合には、任期中であっても地方長を罷免することができることになっていることを注意する必要がある。地方長の任命制の採用は、さきに述べたように地方の行政を国家中心的な行政とするのであるが、現在の政党政治の下においては、地方の行政を政党色でぬりつぶす危険のあることを看過してはならない。殊に、後に述べるように行政委員会を廃止し、地方長が警察も選挙管理も自らの権限として行うに至ることを考えると、その弊害の及ぶところ図り知ることができないものがあるともいえよう。

(ニ)「地方」の議会　「地方」には議会をおき、直接公選による四〇人乃至一二〇人の議員をもって組織するものとしているが、議会がどういう性格をもち、どういう機能を果すべきものであるか明らかでない。議員定数がその区域から選出される国会議員の定数にも及ばないことになっているのも、議会をどういうものにすべきかについて、十分の考慮が払われなかったためであろう。

(ホ)執行機関としての行政委員会の廃止　戦後の行政機構民主化の一環として広く採用された行政委員会を全面的に廃止すべきものとしている——裁定、審査等の機能を行うものを除く——が、公安委員会、教育委員会、選挙管理委員会、人事委員会等のすべてを廃止し、それらの権限を地方長の手に集中することになることは、その権限を極めて強大なものとするだけでなく、政治的中立性を確保する必要のある行政に、政治的色彩をもたしめ、殊に、国の政党政治の影響を及ぼすおそれが多い。

(ヘ)「地方」の支分庁の設置　地方案は、現在の府県の所在地その他適当な地に「地方」の支分庁を置くことにしている。市町村への大幅な事務移譲の困難な今日、支分庁の機構は、相当の規模のものとなることが予想されるが、若し、そういうことになれば、行政の簡素能率化と経済化を看板とする地方案が、その目的を達成し得ないどころか、却って、屋上屋を架し、手続を二重三重に複雑化し、能率を下げ経費の増嵩を来す惧れさえないではない。中央各省庁が一切の事務処理決定権（例えば許可認可等をはじめ、補助金・交付税の決定等）を地方長に委ねることは、到底期待できない（地方ごとに予算の配分をするというようなことは必ずしも適当ともいえまい）ので、市町村としては、結局、支分庁、地方府、中央各省庁の三重の関門を通ることを余儀なくされ、決して行政の簡素能率化の目的を達成し得るものではない。

（ト）市町村自治の充実　地方案は、さきにも述べたように、基礎的地方公共団体たる市町村の充実強化を図ることによって、憲法の基本理念たる地方自治の本旨の実現に資するといっている。そしてそのためにできるだけ市町村又はその機関への事務の移譲を考慮するとも述べている。このこと自体には、大いに賛成であるが、地方案の構想の下に、果して市町村自治が充実強化され、憲法の基本理念たる地方自治の本旨が実現されるであろうか。私はここに根本的な疑をもつ。というのは、地方案の構想が実現されるような事態の下においては、市町村への事務の移譲が行われるどころか、却って、事務の国家的性格を理由として、地方又は地方府への吸い上げの方向が現われるのがむしろ必然であるのみならず、市町村は、中央各省庁、地方府、支分庁の一連の強力な国家監督の下に、その自治を窒息せしめられるに至る懸念さえないではないからである。

市町村は、府県の存在が市町村自治の進展を阻害しているかのごとく説くが、市町村の自治は未だ極めて微力で、一挙におしつぶされてしまう危険さえもっているのであって、市町村と府県とが相協力し一体となって自治を守ろうとしてはじめて、強大な国家権力に対抗し得るのである。私は決して国と地方とを対立的に考えてかようなことをいうのではない。また、地方自治を絶対的なものと考えているわけでもない。元来、地方自治も国家統治構造の一環としての存在で、国と地方とは協力し合うべきものであるが、わが国ではどうかすると、地方自治が無視されがちになる。こういう傾向に対して、地方自治の真意義が、市町村と府県との、その機能を分ち合いながらの、協力によって発揮されることによって、地方自治を守り、わが国の民主的統治構造を確保することができるものと考える。

以上に述べた外、なお、とりあげて論ずべき問題も少くないが、既に予定の枚数も超過したので結論へ急ぐことにしよう。

四　地方案の実現性

地方制度の改革に関する答申、特に地方案は、これまで嘗つて見ないほど広く各方面の注目を牽き、新聞の社説その他で批判の対象としてとりあげられている。そして、その「多数」意見の「多数」が問題とされ、地方案全体の未成熟さが指摘され、その他種々の論点がとりあげられているが、中でも、地方長の任命制の採用が非難の焦点となっている。殆どすべての新聞が、地方案に対する強い反対を主張しているのであるから、この反対を押し切って、地方案を実現することは、殆ど不可能といってよいであろう。尤も、自治庁では、この答申の具体化を準備するための組織を設けるため必要な予算要求をしていると伝えられており、地方案を中心として具体的な改革案を練ることになるのであろう。

しかし、私は、今日、世論を無視し、強い反対を押し切って、地方案をアン・ブロックに具体化することは、まず不可能ではないかと思う。社会党が正面からこれに反対することはもちろん、自由民主党自身においても、一致してこれを強力に推進することは期待しがたいであろう。それにも拘らず、この地方案が現実に重要な意味をもつであろうところに、問題があり、危惧を抱かざるを得ないのである。

それは何か。その一つは、これまでしばしば経験して来たように、地方案をアン・ブロックに実現することが不可能であるとして、その一部分を切り離し、答申案の実施と称して、立法化される惧れがあることである。例えば長の任命制への切換えとか行政委員会制度の廃止とかがこれである。

他の一つは、地方案の成立を契機として、地方案を貫く国家行政中心的な考え方が強くなり、これまで理論として承認され、実際上にも進められて来た地方公共団体（府県及び市町村を含めて）又はその機関への事務の移譲とか財源の配分とかの措置が、抑止され、逆に、事務の国家機関への吸い上げとか地方財政の縮減の方向が現われて来るのではないかということである。また、地方案が宙ぶらりんの状態で放置されているとすれば、それは、どのような意味においても、地方自治の地盤を強化し、その発展を図るゆえんではないと思う。その意味においても、地方制度は如何にあるべきかについて、殊に国家行政制度のあり方との関連を重視しつつ、改めて再検討する必要があると考えるのである。

「地方」制と憲法問題

俵　静　夫

一　はしがき――憲法と地方自治

地方制度の根本的改革を任務として、昭和二十七年に発足をみた地方制度調査会が、四次にわたる討議をかさねて、去る十月十八日、府県制度の改革に関する答申を行った。答申の骨子は、現行の都道府県を廃止するとともに、これに代ってあらたに全国を七乃至九ブロックに区分した区域に、地方公共団体としての性格と国家的性格とを併せ有する「地方」を置き、「地方」の執行機関である地方長は、内閣総理大臣が「地方」の議会の同意を得て任命する国家公務員とし、同時に、これをもって「地方」の区域を管轄区域とする国の総合出先機関たる「地方府」の長にあてるという構想である。

このような改革は、中央・地方を通ずる行政制度の根本的な改革を意味するが、とりわけ、地方自治制にとって、それは正に戦後の知事公選制の実施に劣らぬほどの大きな意義をもつ改革として、地方自治の本質に触れ、当然憲法との対決を迫られる問題を含んでいる。いうまでもなく、地方制度の改革については、旧憲法はこれをすべて立法政策に委ねていたので、地方制度の内容も立法の自由に定めうるところであったのみならず、その立法はかならずしも地方自治の本旨に基いて行われたわけではなかった。これに反して、現行憲法は、民主的な国家体制の基盤をなす地方自治に憲法構造の一環としての意義をあたえるとともに、地方自治制はもはや国会や政府だけで自由に定めうる事柄ではないという認識のもとに、憲法において直接地方自治をとりあげているのである。したがって、今日においては、地方制度の改革も、つねに憲法の示す基準と方向において行われることを要し、それがどのような改革であれ、憲法の定める限界をこえることはゆるされない。

ところで、地方制度調査会の答申の内容については、全般的にみて、府県制度の根本的改革のごとく、その影響するところがきわめて広汎におよぶ問題が、はたして充分に検討し尽されたかを疑わしめる点があり、個々の点についても、具体的に明確を欠く点がすくなくない。しかし、ここではそうした改革案の内容にたちいっていちいち批判を加えるというのではなく、主として憲法との関連において問題とおもわれる点を指摘するのが目的である。

二　改革の基本方針と憲法の理念

まず、地方制度改革の基本的な前提問題として、どのような見地にたって制度の改革を考えるかという問題がある。府県制度の改革を考えるにあたっては、今日においては、憲法に対する態度を明確にしておくことが、その出発点でなければならない。ところが、この点について、地方制度調査会がとった態度にはきわめて曖昧なものがみられるようである。たとえば、答申の内容にある「地方」制案と三、四府県統合案とでは、憲法の理解についてまったく対立的な見地を示しており、「地方」制案は旧憲法時代と同じような態度で地方制度の改革を考えたのではないかと疑わしめるものがある。

地方制度調査会設置法は、「日本国憲法の基本理念を充分に具現」するよう、現行地方制度を改革するため、これに全般的な検討を加えることが、地方制度調査会設置の目的であることを明記しているのであるが、憲法が改正されないかぎり、そのことは当然のことといわねばならぬ。ところが、調査会の審議が地方自治の本旨に基くというわくをはめられるならば意見を述べてもしようがないとか、憲法は一応地方自治をみとめているがといったような発言があったとつたえられる。このように憲法を邪魔ものにしたり、またはこれを軽視するのではないにしても、委員会において、憲法問題があることはこれをみとめつつ、これを論議しないで、地方制度のありかたを審議することを決めたということは、地方制度調査会が、憲法をはなれた立場で府県制度の改革を考えたのか、あるいは憲法の地方自治条項をも含めて地方制度の改革を考えたのではないかという印象をあたえる。

すくなくとも答申の考えかたの底流において、そのような改革の基本的態度についての混迷または対立があったとすれば、まず、そこに一つの問題があるとみなければならない。

ところが、答申は、地方制度改革の基本方針として、むしろ「日本国憲法の基本理念に基き地方自治を一層進展させ」、「日本国憲法の基本理念たる地方自治の本旨を尊重して、その実現に資する」ということを強調しているのである。

はたしてそのような見地から、答申のような改革案が導き出されうるものかどうか、つぎに地方制の構想の内容について、これを検討してみることにしよう。

三　府県の廃止は憲法に違反しないか

答申は、憲法の基本理念たる地方自治の本旨を尊重するという見地から、まず現行の都道府県はこれを廃止するものとしている。都道府県の廃止が積極的に地方自治をより一層進展させる方途であるかどうかは一応別にして、それが憲法に違反しないかという点が、まずあきらかにされなければならない。

この点に関して、憲法の解釈上もっとも根本的な問題となる点は、府県は憲法がその存在を保障している地方公共団体のうちに含まれるかということである。

憲法は第八章において、地方公共団体の組織および運営に関する事項は、地方自治の本旨に基いて定めることを要請し、そのような地方公共団体は住民自治の組織として、住民が直接選挙する議会と長をもつべきものとしている（憲法九二条・九三条）。しかしながら、憲法の規定は、地方公共団体の存在を予定しているにとどまり、具体的に府県とか市町村という名称をあげていないので、文理上からすれば、憲法上府県が地方公共団体に属するかどうかはあきらかでないようにみえる。

そこで、たんなる文字解釈からすれば、憲法は地方公共団体の組織および運営に関する事項が地方自治の本旨に基いて定められることを要請しているにとどまるから、地方公共団体の組織と運営はともかく、その他の事項、たとえば地方公共団体の種類とか、国と地方公共団体の関係あるいは地方公共団体相互の関係等については、かならずしも地方自治の本旨に基いて定めなければならないという憲法上の制約はないという解釈も成りたつであろうし、また、なんらかの地方公共団体を置けば、それで憲法上の要請はみたされるという解釈も不可能ではない。このような解釈がゆるされるなら、一片の法律をもって府県から地方公共団体の性格をなくすことも任意になしうることとなり、したがって、府県を廃止することも憲法に違反するものではないということになる。

しかし、このような憲法解釈は、憲法の地方自治条項の存在意義なりその立法の趣旨に目を覆うて、たんに文字だけによって憲法の意味をあきらかにしようとするものにほかならない。そのような解釈によっては、とくに憲法で地方自治を保障している意味はまったく見失われることとなり、地方自治に関して何らの規定をもたなかった旧憲法の場合と事情は異るところがないことになる。現行憲法がとくに第八章の条項を設けているのは、いうまでもなく、明治憲法時代のように、地方自治は国会や政府だけに委せることのできるような小さな事柄ではないとしたところにその意味がある。したがって、どのような地方公共団体を設けまたはこれを廃止するかということは、国の一方的な政策で法律をもってどのようにでも定めうるものではない。いわば、憲法において地方自治制のありかたについて、立法の基準と限界を示すとともに、立法権による地方自治の侵害を制約しようとしたところに、憲法第八章の規定を設けた趣意があるのであって、たとえば憲法第九十五条が地方特別法の制定について立法手続の例外を定めているのも、そうした趣意のあらわれとみることができよう。すなわち、法律がどのような地方公共団体を設け、またはどのような地方公共団体を廃止するかは、つねに地方自治の本旨に基いてこれを定めなければならないのである。

ところで、ある地縁団体が地方公共団体としてその地域の公共的事務を自治的に行うことができるのは、もとより国法によってそのような資格がみとめられたことにもとづくのであるが、国法が地方住民の団体に地方公共団体たる性質をあたえるには、その団体が歴史的に社会的にそのような基盤をもち自治体としての実体を有するものであることを前提としなければならないことはいうまでもない。なぜなら、そのような条件のもとにおいて、はじめて地方自治の本旨を実現することが可能となるからである。とりわけ地方公共団体のような制度は、地方住民の生活に根ざした古い歴史をもつものであり、そのような歴史的背景や社会的基盤と無関係に、一片の法律で一朝一夕に廃止したりつくり出すことのできるものではない。したがって、地方公共団体というとき、そうした歴史的条件、社会的条件を無視して考えることができないことは、ひとしく地方自治といっても、イギリスとヨーロッパ諸国とで歴史的に異なる地方公共団体を発達させているのをみてもあきらかである。

このような地方自治の本質を無視して、ただ、憲法は地方公共団体というにとどまり府県という名称をあげていないというだけを理由に、なんらかの地方公共団体を置けば府県を廃止することはゆるされるといった形式論理を用いるならば、同じ論法をもって、なんらかの地方公共団体が置かれるかぎり、憲法は市町村という名称をあげていないから、市町村を廃止することも妨げないということができるであろうが、いかなる形式的解釈論者も憲法が市町村の廃止を許容しているとは考えないであろう。それは、暗黙のうちに、市町村がわが国において明治以降基礎的地方公共団体としてのながい歴史をもち、自治体としての社会的実体を備えていることをみとめているからであり、これを廃止して地方自治の本旨を実現することはできないと考えるからにほかならない。

憲法が地方公共団体について規定しているのは、当然、このような地方自治の本質を自明の前提としているのである。したがって、憲法が地方自治に関して規定を設けたとき、わが国において地方自治の本旨を実現するには、明治以降六十年以上にわたり、府県と市町村という団体によってながく地方自治を行ってきたという事実は当然これを予想していたところと考えるほかはない。事実、マ草案においては、はじめ地方公共団体の長および議員の直接選挙を定めた規定において、府県、市、町という団体が明示されていたのであり、府県は、そこであきらかに憲法上地方公共団体として考えられていたのである。

憲法は、当然このような旧来の地方自治制を前提にして、その反省と批判のうえに、地方自治の本旨に基くことを要請しているのである。すなわち、府県は、わが国において、市町村とともに、地方自治制の構成単位として、ながい歴史をもつものであるが、それは同時に、国の地方行政機構の一環としての役割を荷わされていた。また地方公共団体としてもその自主性が不完全にしかみとめられず、その活動も中央政府の強い監督のもとにおかれていた。このような過去の府県の性格は、実に府県を含めた旧地方自治制全体の性格であったのであり、それがいわば府県制において集約的に具現されていたにすぎない。同時に、府県はそのような旧地方自治制そのものの官治性を支えるかなめとしての役割を果たしてきた。したがって、国家体制の民主化を第一義の目的として制定された現行憲法が、その前提要件として地方自治の確立を期するには、そのような府県制が、そこで何よりまず批判の対象とされねばならなかったのは当然である。現行憲法の制定に際して、政府側には当時知事まで直接選挙にするのはゆきすぎであるという考えがあったようであるが、これに対して、「府県制の民主化は総司令部としては最も重要な課題と考えており、また極東委員会としてもこれを重視している」ということで、草案の修正にいたらなかったといわれている。この憲法の趣旨に則り、地方制度の第一次改革においていちはやく府県知事の公選制がとりあげられ、さらに第二次改革でその身分も公吏にきりかえられた。同時に、府県は市町村とともに普通地方公共団体として、同一の制度のもとに完全自治体化された。すなわち、憲法にいわゆる地方自治の本旨は、具体的には府県の完全自治体化と府県知事の公選制において実現されたのである。

このように、憲法制定の由来なり、憲法施行の経緯をみれば、憲法が地方自治に関して規定を置いている意味は、過去の地方自治制がもった官治的性格を払拭して、積極的に地方自治の本旨に基いた制度を確立しなければならないことを要請しているところにあることはあきらかである。これに反して、憲法にいわゆる地方自治の本旨が、なんらかの地方公共団体を置けばよいというにとどまり、したがって府県を憲法上の地方公共団体からはずして、ふたたびこれを官治団体化することも妨げないというような、消極的な意味を有するものであるとすれば、憲法が地方自治を保障している意味はほとんど没却せしめられるであろう。

四　地方長の官選は憲法に違反しないか

つぎに、答申は現行の府県に代る「地方」の執行機関たる地方長について、住民が直接これを選挙するものとせず、内閣総理大臣が「地方」議会の同意を得て任命するものとして、その身分もこれを国家公務員としている。この点もまた、憲法第九十三条第二項が地方公共団体の長の公選制を定めている規定との関連において、憲法上の問題となることをまぬがれない。

すなわち、「地方」は国家的性格を併せ有するにしても、一応地方公共団体として構想されているかぎり、しかも、それが現行の府県に代るものである以上、その長が住民の直接選挙によらない国家公務員をもってあてられるとしている点で、それが憲法第九十三条第二項の規定に適合しないことは、すくなくとも形式上はきわめて明白なところであろう。

しかし、この点は、「地方」が憲法上の地方公共団体でないことを理由にして、憲法の適用を免れるということが考えられる。嘗つて、地方自治法の改正により特別区の区長の公選制を廃止するとともに、区議会が都知事の同意を得て任命することとされたとき、それは憲法に違反するという議論があった。現行の府県知事の公選に代って、地方長は内閣総理大臣が「地方」議会の同意を得て任命することとするという方式は、これを連想させるものがある。ただ、この場合には、府県知事が地方長ににおきかえられているので、特別区の場合とただちに同様に考えることはできないであろうが、「地方」を府県の拡大したものとするならば（「地方」にどのような事務が配分されるかは答申のうえからはあきらかでないが、現在の府県が処理している事務のうち市町村に移譲されるものはそう多くは期待できないであろうし、他面、国の地方出先機関の事務で「地方」に移譲されるものについても同様であるとするならば、「地方」の実体は一応現行の府県の事務を主体とするものであることが考えられる）、すくなくとも形式的には特別区の場合と同じ関係になる。しかし、この場合においても、特別区の区長の任命制と同じ論法で地方長の任命を理由づけることができるとはかぎらない。なぜならば、特別区の場合と異なり、府県は不完全ながらも一般的な自治体として長い歴史をもった団体であり、これに代る「地方」も全国を通じて一般に広域行政を行う地方公共団体として構想されているからである。

したがって、地方長の任命制は、特別区の区長の場合と異なり、実質的にはむしろ知事官選論と同一の構想にたつものとみるべきであろう。嘗つて、中央方面から、現行の府県制度をそのままにして、その知事を官選に改めることが主張されたことがあるが、その際政府は憲法違反を回避するため、まず法律をもって府県から自治体の性格を奪い、しかる後にその長を任命制にすれば、憲法の適用を免れるという考えかたを示したことがある。このような考えかたは、あたかも憲法上の権利として保障された国民の自由権利も、法律をもってこれを剝奪制限できるという考えかたと同じ基調にたつものである。それが本末てん倒の形式論理で辻つまをあわせて、憲法の保障を無視しさろうとするものであることは、府県の廃止を合憲とする解釈論の場合とまったく同様である。

そのような解釈がゆるされないことは、戦後における地方制度の改革においてまっ先に手をつけられたのが知事公選制の実施であり、憲法にいわゆる地方自治の本旨が具体的にはそこに象徴されていることを想起するだけで充分であろう。

このように、現行の府県をそのままにして知事の公選制を廃止することには憲法上の障害があるのみでなく、住民の支持をえることも困難であるためであろうか、「地方」制は行政の広域化という近代的な装を身につけることによって、時代遅れの府県にとって代るという構想がとられている。しかしながら、全国を七乃至九ブロックに区分した区域に置かれる「地方」は国の行政区画としてならともかく、そのような広域にはたして住民の民主的統制が可能であるかということを考えるとき、そこには少からぬ疑問がある以上、答申の眼目はむしろ知事の官選を実現することにあるのではないかとみられる。ただ、それが一たん公選知事を長とする府県を廃止したうえで、新たに「地方」を設けてその長を官選にするという方法をとることによって、問題の焦点がぼかされており、さらに議会の同意を条件とすることによって官選の意味を緩和するとともに、他方国の総合地方出先機関たる「地方府」の長を兼ねしめることによって、官選制を幾分でも正当づけているため、府県をそのままにして知事を官選に改める場合のように、直明截簡に問題の焦点が前景にあらわれていないにしても、その実質は知事官選の考えかたとまったく軌を一にするものといえよう。

また、かりに「地方」がもはや憲法上の地方公共団体に属するものではないとしても、現在公選の知事の手で処理されている事務が、市町村に移譲されぬかぎり、あらたに官選の地方長の手に任されることになるのであるから、この点からいっても、それは答申が強調するように「地方自治をより一層進展させ」るものでないことはあきらかである。いずれにせよ、現行憲法の制定により、わが国において地方自治をより一層進展させるため、府県を完全自治体とし、その長を公選制に改めた改革の意義を無視して、ふたたびこれを旧い制度に引き戻すことが憲法の趣旨に合するとは、どのような意味においても到底考えられないところである。

五　「地方」制と市町村の育成強化

このようにみてくると、府県の廃止、「地方」の設置を骨子とする地方制度の改革は、地方行政を国の行政機構の一環とみてその合理化を図るという立場からするならば、それはそれとしての意義をみとめることができるが、地方自治の確立を図るという点においてはなんらの積極的意義を見出しえない改革である。そうした改革は、むしろ現在の自治行政を官治行政の方向に引き戻すことに役だつだけである。

したがって、答申が示す制度の具体的方策も、全体としておのずから官治的性格が濃厚であることは当然の帰結であるが、それにもかかわらず、こうした改革が「日本国憲法の基本理念に基き地方自治を一層進展させ」るための改革であるとされているのは、何を意味するのであろうか。

それは府県の廃止によって市町村の育成強化を図ることができるという意味においてである。たしかに基礎的地方公共団体たる市町村の育成強化を図ることは、地方自治を進展させるゆえんにほかならない。しかしそこには、市町村の育成強化は府県を廃止しなければ不可能であるとする前提をおかないかぎり、観念の飛躍があることをみのがすことはできない。しかもそうした前提は、たんなる市町村の感情以外に、どのような実証的根拠を有するかについて、答申はなんら示すところがない。

また、府県の廃止がそれだけで当然に市町村の育成強化をもたらすものでないかぎり、どのようにして市町村が育成強化され、地方自治が一層進展せしめられるのか、という肝心の点についても、これをあきらかにするところがまったくないのはどうしたことか。一応、府県の廃止にともなって、その事務および財源が市町村に移譲されることが予想されているものの、具体的にどのような事務および財源が市町村に配分され、またこれに対する国の関与がどのような形のものとなるかが示されずに、市町村が育成強化されるといってみたところで、理念的構想としてならともかく、実際的な制度の改革案としては内容のないものといわざるをえない。

答申は、府県廃止の根拠として、一般の市町村が町村合併により近時画期的に充実されたという事実をあげているが、町村が合併によって地方自治の完全な担い手として充実をみたということは、実情を無視した観念論のそしりをまぬがれないであろう。町村合併の結果、市町村の行財政能力の強化をみたといっても、なお今日の段階においては、市町村が適切に処理することのできない事務があることはこれまた否定しえない事実であるとすれば、この種の事務は当然府県に代って「地方」がこれを担当せざるをえないであろう。また、かりに市町村がその能力の補充を必要としないまでに充実をみているとしても、市町村の区域をこえて処理する必要のある広域行政事務または連絡調整事務のごときは、市町村の規模能力にかかわらず、事務の性質上これを市町村の事務として処理せしめることはできないから、これまた当然府県に代る「地方」の事務として行われることにならざるをえない。このようにみてくると、府県の廃止にともなって市町村に移される事務は、市町村が期待するほど大きなものではなく、現在の府県の事務の大半はむしろ「地方」の手で処理されることとなるであろう。これに反して、もし現行の府県の事務の多くが市町村に移譲されるとすれば、それにともなう財源措置を必要とするから、かくては府県廃止の理由とされている現在の府県の財政力のアンバランスにみられる弊害をさらに甚だしくする結果を招くこととなる。

したがって、市町村の行財政能力の充実にともなって、現在府県が処理している事務はできるかぎりこれを市町村に移譲すべき必要は充分にみとめられなければならないが、そのことはただちに府県の廃止を前提としなければならないわけのものではないし、また、それによってただちに府県の存在意義がなくなるというものでもない。それにもかかわらず、市町村が府県を目の上のこぶと視てこれを排除しようとするのは、府県が完全自治体となっても、なお市町村に対して監督機関的な立場にたつところに胚胎しているのであって、自治体の二重構造そのものに原因があるのではない。このように、府県が国の機関として市町村に臨み、市町村に対する態度が官僚的であるというところに、府県に対する悪感情が根ざしているとすれば、むしろ府県と市町村は、これをともに完全自治体として、両者その分野をわかちつつ、相協調できる関係に改めることが必要である。ところが、当の市町村において、現在の府県よりさらに官治的な「地方」の関与を歓迎するというのは、まことに筋の通らない主張といわねばならない。公選の知事が府県住民の意向を顧慮しながら、市町村に対する場合と、官選の地方長が中央の方を向きながら、市町村に臨む場合と、いずれが市町村自治の育成強化に資するかは多くいわずしてあきらかなところであろう。

答申は「日本国憲法の基本理念」とか、「地方自治の本旨」をあげているが、「地方」制自体にその具体化をみることができないとすれば、わずかにそれは「地方」制の採用が市町村の育成強化に資するという一点にしか、そのことばの妥当する場所を見出すことはできない（「地方」議会の設置は「地方」の区域の広大すぎることと、議会の権限があきらかにされていないことからみて、その民主的統制には多くの期待はもてない）。たしかに、基礎的地方公共団体たる市町村の育成強化は憲法の要請する地方自治の本旨を実現するものである。しかしながら、府県を廃止し「地方」をもってこれに代えることは、市町村に対する関係において、その育成強化に資するどころか、かえってその自治に対する国の関与をつよめるおそれがあるので、この意味においても、「地方」制は地方自治の本旨にもとり、憲法の趣旨に反するとみることができる。

六　憲法第八章改正の問題点

以上、府県の廃止と「地方」の設置について、憲法上問題となりうる論点をあげ、そのような改革が現行憲法のもとでゆるされるものでないことをあきらかにしたが、そのことは当然憲法の改正を促すこととなる。もっとも現行憲法のもとでも、そのような改革が可能であるとする解釈論がありうることは、前にも述べたとおりであるが、ただ、そうした解釈は現行憲法の制定の趣旨からみて、いかにも不自然な無理な解釈であり、解釈論の限界をこえるものである。このことを端的に示しているのが、近時の憲法改正論である。

すなわち、今日まで発表されたどの憲法改正案をみても、憲法第八章の改正点は、いずれも憲法上地方公共団体から府県をはずし、知事の公選制を廃止できる途をひらくことを主眼としているのである。たとえば、自由党の憲法改正案（昭和二九・一二）では、地方公共団体の種類や、地方公共団体の長の選任方法は、これを法律の定めるところに委ねている。同様に、日本国憲法改正広瀬試案（昭和三二・五）においても、地方公共団体の種類については法律で定めることとするとともに、長の公選はこれを法律の定める基礎的地方公共団体に限定して、憲法上基礎的地方公共団体と然らざる地方公共団体との間に差異を設けている。こうした改正を行ってはじめて、府県の存在も、知事の公選も、憲法上の保障からはずすことが可能となるのであり、このような憲法の改正を必要とするということは、とりも直さず現行憲法のままでは、府県を廃止してこれを官治的な「地方」におきかえるといった、地方自治の根幹に触れる改革を行うことが困難であることを示すものにほかならない。

この意味においても、「地方」制は、憲法との対決を回避して実現に移すことはできない問題をもっていることはあきらかである。

なお序でながら、地方制度の改革が憲法に違反するかどうかということと、それが裁判所の違憲審査の対象となるかどうかということとは、一応別に考えなければならない問題である。裁判所の審査権の及びえない範囲においては、憲法運用の任にあたる国会、内閣等の機関の自粛と反省にまつ外なく、憲法もこれらの機関の地位にある者に対して、憲法擁護の義務を定めている（憲法九九条）。したがって、訴の利益を欠くため違憲訴訟を起すことができない場合があっても、そのことからただちに憲法適合性を導き出すことが正しくないことはいうまでもない。

七　むすび――「地方」制の考えかたの底流にあるもの

最後に、地方制度調査会の制度改革に対する基本的な考えかたに触れておくならば、答申は、日本国憲法の基本理念に基き、地方自治の本旨を尊重するということを標傍しながら、実は府県を官治的な「地方」におきかえることによって、官治的集権の外延をひろげようとするものであるから、これによって現行の地方自治制の建前はその根底から崩され、憲法が地方自治にあたえた意義は没却せられることとなる。問題は、そこで改革の方向が集権にあるか分権にあるかよりも、むしろ官治か自治かにある。「地方」制案の根底には、あきらかに地方自治のもつ意義を軽視して、官治による能率化を重視する考えかたがみられる。嘗って昭和十七年地方制度改革の理由として、「わが国民性の上から、自治的な活動ということは非常に難かしい。むしろ官治的な、治められることによって容易にその目的を達し得るような国民性である」ということが公然といわれたことがあるが、「地方」制案の起草者の間に、これと同じ偏狭な考えかたがなかったといえるであろうか。そこに、「地方」制案がたんなる行政制度の改革としての意義をこえてもつ政治的性格を見出すことができるであろう。

地方制案は憲法違反と考えられる

鵜飼信成

憲法違反だというのは、いわば真向大上段からの議論で、何となくこけおどしの感じがすることはたしかである。それで、例えばそれは憲法違反ではないが、しかし、立法政策的には妥当でないから、自分は賛成しない、といったような議論も考えられないわけではない。私はしかし、立法政策的に妥当でないような制度の基本的改革は、憲法の精神に反している疑が十分にあるのではないかと思う。今日いろいろな方面で考えられていた占領中の制度の再改革は、一口にいって、だいたい戦前の制度を再現するか、あるいは極端な場合には、戦前の制度をさらに強化したものを実現しようとしている。それは、細かい技術的な面での改良などといった程度のものではないのである。もし憲法の精神が、憲法の制定と相前後して行われた制度の革新の中に、基本的に実現されているとするならば、そうしてそれによって明治憲法下の制度が、新しい憲法の趣旨にそわないものとして葬り去られたのであるとするならば、これらの死んだ魂をもう一度過去からよびもどそうとする一切の企図は、これすなわち憲法の趣旨に反すること、深く論ずるまでもなく明らかであるといわねばならぬ。

とくに注目されるのは、これらの適憲論者が、同時に、こぞって憲法改正論者であることである。憲法には違反しないといいながら、しかし念のため憲法を改正しようというのでは、違憲の疑いが明らかに存することを認めたことに外ならない。今日の憲法改正論が、そのそもそも発足の時以来終始一貫して、再軍備とならんで、天皇の地位の強化、家のなんらかの形での復活、府県知事の任命制などを唱えるものであったことは、周知のとおりである。そしてそのことは、憲法を改正しないで、これらを実施するのには無理があることを明らかに示しているのである。

それであるから、憲法には違反しないが、政策的に妥当でない、というふうな議論は、少くともこれらの根本的な憲法上の制度に関するかぎり、決して適当でない。

こんどの地方制案で、最も違憲の疑の濃厚なのは、自治体たる地方の長を公選にせず、任命制にしたことであると思う。違憲でないという論者は、憲法第九三条の地方公共団体とは、特別地方公共団体を含まないことが明らかであるから、地方のような、特別の地方公共団体が、同じように同条の適用外となっても当然であるというが、しかし実質的にそれが普通地方公共団体と本質を異にしないものである以上、これだけをとり出して第九三条の適用外におくことはできない。それは憲法第九三条を改正して、知事任命制をとくに認めさせたいと考える論者の論理からいってそうなのである。

ところで、それなら地方案のように、自治体たる性格をあわせもった国の地方行政区劃にしないで、いっそ、包括的地方公共団体たる府県を一挙に廃止してしまったら、どうであろうか。この問題は、地方制答申案としては仮空のもののようであるが、この答申のかげには、この種のいわゆる道州制がある。ただそれを直接に要求しては円滑に事が運ばないから、一応自治体たる性格をあわせもつものとしておこうという趣旨に過ぎないのであることは、そのいきさつからいって明らかだと思われる。

この問題は、いいかえれば、現行憲法が果して現行地方自治制のような重層的自治制を保障したものかどうかという問題に外ならない。

これに対する解答は、憲法の文字の上からは十分に明らかだとはいいがたい。少くとも現行成文憲法の規定の上には、そのことについてなんらの明記がないからである。したがって、抽象的に考えれば、およそなんらかの形で地方自治が保障されていさえすれば、すなわち例えば基礎的地方公共団体である市町村の自治さえ保障されているならば、それで憲法第八章の要求は満されている、という解釈も一見成立つように見えないではない。

もっともこれよりさらに極端な解釈論として柳瀬教授の所論がある（「憲法と地方自治」、有信堂、五頁以下）。教授の所説は、「地方自治の存在理由と地方自治の内容とはいわば変数と函数との関係に立つべきことが憲法の要求するところであるとするならば、その変数である地方自治の存在理由が零となった場合には函数たる地方自治の内容もまた当然に零となるべきである」（二九頁）という見地に立たれる。その具体的な意味は、もし立法者が、地方自治の存在理由はもはや存在しないと判断するならば、地方自治を全廃しても差支えないということである。

筆者はこの見解には賛成できない。それは結局、地方自治がどの程度まで憲法上保障されているかということについての解釈の違いに帰する。筆者の意見では、地方自治の具体的な制度の中には、地方自治の本旨に照して立法権者が判断し、変更を加えることができる部分と、そうでないものとがある。例えば長や議員を公選にするということは、憲法に明文を以て保障しているから、立法権者が勝手にそれを無視することはできない。このことは柳瀬教授も認めていられるとおりである。筆者は、その他にさらに根本的な憲法的保障として、地方自治の存在理由があるかないかということの判断は、立法権者に与えないで、憲法制定権者に留保したものであるという見解をとる。この憲法にあらわれた憲法制定権者の判断は、なんらかの形の地方自治を認めるということであって、ただその具体的な内容は、立法権者の判断に任せるというに過ぎない。だからどれだけの事務を、どの種類の地方公共団体に与えるかということの判断、つまり事務の配分は、立法権者の自由に任せられているが、しかしそこに一つの限定があって、立法権はかならず、なんらかの事務を地方公共団体に与えなければならない。それはたんに数量的に零とすることが許されないだけでなく、余りに少量であるために、地方自治が存在しないのも、同様の微弱なものになることをも許さないという趣旨である。憲法制定権者（もしくは憲法改正権者）は、この原則を変えて、地方自治を廃止することもできるであろう。（この点でも憲法改正の場合には若干の問題がないではないが、それはすなわち憲法改正権の限界の問題である。）しかし立法権者にはそのようなことはできないのである。

ところでこの憲法的保障は、地方公共団体の種類については、どこまで及んでいるであろうか。立法権者がすべての種類の地方公共団体を一挙に廃止してしまうことが認められないのは、上に述べた。では、市町村だけを残して、府県は廃止するとか、反対に府県だけ残して市町村を廃止するとかいうことは許されるであろうか。

個々の特定の市町村なり、府県なりが、自己の存立について、奪うことのできない権利をもっているという解釈は、成り立ちにくい。それは憲法制定権者が、そんなことを考えていたと推測させるに足りる資料は、何もないからである。しかし、市町村および府県という重層的地方自治制を、憲法的に保障しようと考えていたことを推測させる資料は、十分あるように思われる。

その一つは、昭和二一年三月一三日に、マッカーサー司令部が、弊原内閣に手交した草案である。この草案第八章の冒頭の条文(第八六条)は次のような内容をもっていた。「府県知事、市長、町長、徴税権ヲ有スル其ノ他ノ一切ノ下級自治体及法人ノ行政長、府県議会及地方議会ノ議員茲ニ国会ノ定ムル其ノ他ノ府県及地方役員ハ夫レ夫レ其ノ社会内ニ於テ直接普通選挙ニ依リ選挙セラルヘシ」。ところで、これが、現行の第九三条の形になったのは、日本側の意思によるのであるが、その際、交渉の任に当った佐藤元法制局長官のことばによれば「若干の字句の変更は差し支えないが、司令部案のファンダメンタル・プリンシプルス及びベーシック・フォームスは厳格に尊重してもらいたい」といわれていたそうであるから、両者の間に、基本的原則の差異はなかったはずである。もしそうだとすると、第九三条の「地方公共団体」というのは、たんに府県市町村の列記をやめて、包括的な名称で呼びかえただけで、憲法上のこの概念の外延にはなんらの変更がなかったとみるのが正しいであろう。

もっともこの議論は、総司令部が唯一の憲法制定権者であったという前提に立っているようにみえる点で、若干の異論はまぬかれがたい。そうして一般国民はもとより、憲法制定議会の議員も、この総司令部草案の存在はたとえ知っていたにしても、個々の条文の内容を詳細に知っていたわけではないから、これがそのまま憲法制定権者としての国民の意思であるとみることには無理がある。

しかし憲法における自治権の保障の本質からいうと、ただ抽象的にそれを保障するというのではないと思われる。むしろ地方団体として現実に意味をもっている団体に、自治権を保障するという意味であろう。上にいったように、それは、青森県とか奈良市とかいう個々の地方公共団体の自治権を憲法的に保障するものではない。だから廃置分合によって、これらの個々の地方団体の自治権が縮少又は消滅しても、それは憲法の関するところではない。手続上、それが法律であれば特別法としての住民投票が必要かどうかの問題が起ることを別にして。しかし府県一般、または市町村一般という制度がなくなることを、憲法は許しているのではない。それは一種の制度的保障ではあるが、たんに地方自治の制度一般だけを保障したものではなく、府県市町村という形の地方自治——そこでの事務や財源の再配分は、立法権者の才量に任せるとしても——こういう具体的な地方自治の組織は、憲法が保障しようと考えていたものではなかろうか。

かりに百歩をゆずって、憲法制定権者の立法者意思は、これほど明瞭でないとした場合にも、現在の府県市村町の重層的組織が、憲法第九二条のいう地方自治の本旨であるという見方は可能であると思う。つまり地方自治の本旨が何かということを、ことごとく立法権者が自由に判断し得るのではなく、第一に、少くとも何らかの意味の地方自治を認めること、第二に、その地方自治は質的に自治を維持し得る構造をもっていること、第三に、その長と議員とは、いずれも住民の直接公選によること、第四に、これらの地方公共団体は、少くともそれらを地方公共団体あるいは自治団体と呼ぶにふさわしい程度の最少限度の自治行財政権および自治立法権を与えられること、といったような範囲のことは、直接憲法で保障されているとみるべきである。

このことは、ことばをかえていえば、憲法が地方自治を保障するという以上、ことがらの性質上、立法権者が勝手にそれを縮少することはできず、縮少には自ら限度があるということである。

この限度は、本来、明白疑をいれない形で憲法に明記しておくことが望ましい。しかし明記してなくても、憲法制定権者として、国民というものが存在する以上、国民は、自ら声をあげて、これが憲法のいう地方自治の本旨の意味だということを、他の国家機関に示す権利と義務とをもっている。もちろん最高裁判所もまた国民の意思を代弁する重要な国家機関であるから、自らの判断で、地方自治の本旨とは何であるかを示し、それに従わないで定められた、法律の規定を、憲法違反で無効であると判決できなければならない。しかし最高裁判所も、最終的な機関ではない。最終の発言権をもっているのはやはり国民である。

したがって、憲法がどこまで地方自治を保障したものであるかを、最終的に決定し得るものは、国民であるということになるのである。

討論

〔発言順〕

俵　静夫

田中二郎

田上穣治

原　龍之助

鵜飼信成

林田和博

柳瀬良幹

高田敏一

播磨重男

はじめに

佐藤　地方制度改革の中心問題として、この数年来論議されてきました府県制度の改革について、こんど、府県を廃止し「地方」および地方府を置くという地方制度調査会の答申が出ましたので、これから、この答申を話題にとりあげて話しあつてみたいとおもいます。府県制度の改革は、これまでいろいろと論議されてきた問題であります。それは単に府県という制度をどうするかというだけの問題にとどまらず、その改革のしかたによつては、当然市町村のうえにも大きな影響を及ぼすことになりますので、わが国の地方自治制の根幹に触れる問題であります。さらには国と地方の関係をこんごどういう方向へもつてゆくかということにもつながる非常に大きな意義をもつた問題でありますので、この機会に、調査会の答申の内容を充分検討していただき、あわせて御批判をお願いしたいとおもいます。

ところで、府県制度の根本的な改革ということになりますと、問題はきわめて多岐にわたることになりますが、とくに、府県制度改革の基本的な前提になる考え方をどこにおくかという問題が、まず重要な論点になろうかとおもわれます。たとえば、現在の府県には制度の面にも運用の上にもいろいろ欠陥や弊害があるので、これを改めなければならないとしても、その欠陥や弊害をどう評価するか、あるいはこれを改めるには制度そのものを根本的に改革する必要があるのかどうか、あるいは根本的に改革の必要があるとしても、どういう方向にもつてゆくべきかといつたような、そうした府県制度改革の前提となる基本的な考え方につきまして、いろいろ御意見がおありだろうとおもいますけれども、そうした問題については、すでにわれわれの間で話しあつたことがありますので、きようはすぐに答申の内容そのものをとりあげていただきたいとおもいます。

幸いに、この席には調査会の小委員として直接今度の答申の原案の作成に参加された田中くんがおられますので、答申の考え方というものがはつきりするのではないかとおもいます。そこでまず田中くんから、今度の答申がどういう考え方にたつて、どのような経緯で成立をみたかというようなところから、話を始めていただきたいとおもいます。府県制度の改革に関する調査会の考えかたとしては、さきに第一次の調査会で暫定的な改革案が示されたことがありましたが、それは今度の答申とは直接関係がないわけですから、今度の答申にみられるような考え方が出てくるようになつたのは、第二次の調査会のときからになりますね。

一　道州制論と府県統合論の考え方の対立

田中　御承知のように昭和二十九年から三十年にかけて開かれた第二次地方制度調査会で、府県制度改革の問題がとりあげられました。まず、そのときのいきさつについて、要点だけを申し上げておきたいとおもいます。第二次地方制度調査会では、府県制度の根本的改革をすべきだという意見が強く出てまいりました。総会で各方面の意見を徴しましたが、学識経験者や民間経済界の意見の中にも、道州制を要望する声が非常に強かつたようです。これらの意見を参考にし、特別委員会の審議を経、更に学識経験者だけで構成されている小委員会に移して徹底的な審議を行い、ここで具体的な改革案を作成しようということになりました。総会における意見においても、道州制的な考え方が強く出ておりましたが、当時の新聞などの論調も道州制を支持するものが多かつたように記憶しております。従つて小委員会においては、三好重夫さん、坂千秋さんなどを中心として、道州制が強く主張されました。道州制論者の考え方は、国土の総合開発とか資源の積極的利用とかをやつて行くためには、広域的に総合行政を行うことができるようにし、行政の能率的運営を図つて行く必要がある。こういう新らしい行政の要求に応じて行くためには、現在の府県のワクにこだわつていてはならない。ことに、現在の府県制度には根本的欠陥がある。区域は狭く、知事公選制をとつている結果、行政の総合化が実現されず、しかも、府県行政は全体として能率が悪く、不経済であり、府県間の財政力のアンバランスが行政の一定水準の維持を困難にしている。こういう府県制度を根本的に改革しなければ、国全体の発展を阻害し、国際的な競争に堪えて行くことができない、ということのようです。ことに、地方自治法の施行に伴つて、府県が完全自治体になつた結果、国は府県に仕事をまかせようとしないで、国の出先機関を濫設することになり、行政が全体として非常にばらばらに行われざるを得ないことになる。また府県自体としても、二十八年、二十九年、三十年と続いて、県は赤字財政に悩み、府県財政のアンバランスが顕著に現われてきたので、その対策としても、府県制度を根本的に改める必要があるという問題とからんで、国との関係からいつても府県の受入れ体制を改め、国が仕事を委せることができるようにしなければならない。同時に、現在の広域団体としての府県に課せられた仕事の内容、性質からいつても、町村合併の著しく進捗した今日、市町村との関係からいつても、府県の区域は狭小に過ぎる。これらの点を総合的に勘案して、完全自治体としての府県を廃止し道州単位に国の総合出先機関を置くことにすべきだ、というのが、その主張の要点であつたように思います。同じ道州制論者でも、人によつて、多少ニュアンスの違いがありました。三好さんは完全な官治道州制論者でしたが、坂さんは道州にした場合にもいくらかでも自治体の性格を認めるべきだという考えであつたと思います。しかし、全体としては、区域については道州単位にする、その場合にその性格を完全自治体にするというようなことはとうてい考えられないので、徹底した官治道州制にするか、それともそれに若干自治体的な性格を認めるかという程度の違いがあつたにすぎません。それは端的にいえば、区域の点では道州としてブロック単位によるということ、首長の公選制は廃止して国がその任命権を持つこと、この点に集約された道州制的な考え方であつたといえるとおもいます。

その当時、私は、そういう考え方に対して強く反対いたしました。それは国の総合的能率的行政というような立場のみを考え、地方制度のあり方を無視した考え方で、地方自治の本旨に反するのではないか、戦後の民主主義的制度の一環として地方自治を重視する憲法の趣旨からいつても、それは行きすぎではないかということを主張しておりました。この私の考え方に対して、それでは現在の府県の区域でいいのか、また現在のように、国の出先機関が濫設されて行政がばらばらに、非能率不経済に行われているままでいいのかという反論がなされました。現在の府県制度に種々の長所はあるにしても、そういう意味での欠陥のあることは、私としても認めざるを得ません。しかし、現行府県制度の根本の性格を変えるということには賛成できないので、一種の妥協的な案として、二三府県統合論というものを主張したわけです。これはその当時から、道州制の強い主張に対する地方自治防衛の見地からの一つの対策であつて、具体的に、どうすれば府県統合のほんとうの目的を果すかという点については、資料も充分ではないし、またいちいち調査をすることもできないし、一つの机上論として、統合の方式をとつて広域行政の要請にこたえると同時に、その他の府県制度にからむ問題点についても、その欠陥を是正するための個々具体的な対策を講じていけばいいという考え方をとつたわけです。この地方自治の本旨を守つていかなければならないという点については、かなり同調者がありました。学界の関係では井藤半弥さんとか、新聞関係では近藤操さんなどは、当初からそういう意味では私と同様の考え方だつたと思います。しかし、その当時の空気からしますと、官選の首長をもつた道州制案が、多数の支持を得て採用されるのではないかと予想しておりました。

何度も何度も操り返して論議したのですが、何といつても私の方が旗色が悪い、支持者も比較的少いという感じを持つておりました。しかし私が執拗に反対するものですから、小委員長の野村秀雄さんとか、その他中間に立つ方たちが、ひとつ三好さんと田中さんとが話し合つて、そこで妥協案を作つてくれれば、われわれはそれに同調してもいいということを言い出されたこともありました。私は、この会にくると、三好さんを最右翼として私が最左翼の立場に立つようにおもわれているけれども、われわれ学界の連中の中では、私が一番右翼に立つているのかもしれない。もし話し合いをして案をまとめるという趣旨ならば、三好さんと学界の最左翼に立つ人たちとの間で話し合いをされた方がいいだろう、そうすれば大体私の考えている線に落ちつくだろう、といつて笑つたことがあります。もしそういう必要があるなら、われわれも喜んで話をしようということになつて、辻清明くんとか、藤田武夫さんとか、その他若干の人たちと、三好さん、井藤さん、その当時の鈴木自治庁次長などとの話し合いをする機会を作つたことがあります。ところがその話し合いの席に、三好さん、鈴木さんたちが出てこられ、かねて学界の連中が案として作つていたものは、地方自治あるを知つて国あることを知らない案だ、こういう考え方は全く問題にする余地もないというふうに、高飛車に意見を述べられたためか、せつかくの話し合いの機会ではありましたが、学界の人たちがほとんどそれに対する反論をすることなく、われわれの意見を聞こうともしない人達とは話し合いの余地もないという調子で、全く効果のない会合に終つてしまつたのであります。

そういう状態でしたから、徹底した道州制論が、小委員会においても採用されるのではないかとおもつていました。その後もいろいろ議論を重ねましたが、意見の一致を見ませんので、重要なポイントごとに採決によつて意見をとりまとめていこうではないかということになりました。私は道州案とか、統合案とかについて判断する場合には、区域の問題とか、首長の選任制の問題とか、中間団体の性格の問題とかの一つ一つについて、ばらばらに決をとつたのでは、何れの案の趣旨も貫かれないことになるのではないかを惧れたのですが、その時は、個々の問題ごとに決をとるというやり方をいたしました。区域については道州案の支持者が圧倒的に多いのではないかと思つておりましたが、結果的には、現状維持を主張する人はなく、道州案を支持する人がちようど半数で、過半数を得ることができませんでした。結局、区域の点では、統合案的な区域でいこうということにきまりました。その統合案という中には、私などがその当時いっておりました二十程度の府県にすべきだという意見と、自治庁側から一つの妥協案として出した十五府県案というのがありましたが、いずれにしても、七乃至九のブロック・道州単位でなく、十五乃至二十程度に統合しようという、統合案でまとめていこうということに落ちついたわけです。次に首長の選任制をどうするかという問題については、国の一方的任命制がおそらく多数になるであろうと思っておりました。ところが、これまた、任命制は、可否同数ということになり、過半数にはなりませんでした。現状すなわち公選制を維持すべきだとする意見は、わずか二票しかありませんでした。その結果、結局、直接任命制でもない、公選制でもない、中間の方法をとるほかはないことになったわけです。その方法については、いろいろ意見がありました。都道府県議会が選ぶという案もあり、また市町村段階の、市町村長なり市町村議会の議員なりが母体となって選挙をするというような意見もあり、いろいろ意見がありましたが、それぞれ利害得失があってなかなかきめにくいということもあって、結局この点については、学識経験者をもって組織する中立的な審査機関を設け内閣総理大臣がその審査を経て任命する、という案が多数を得て一応そこに落ちつきました。その者の身分をどうするかという点については、採決をしないで、国家公務員とするということになりました。そうなりますと、その団体の性格は、おのずから決まってまいります。すなわち、国家的な性格と自治体的な性格とをあわせもった中間的な性格の団体ということになります。このようにして、一応、主な点についての結論を見出したわけです。

ところがこういう決定に基いて自治庁側で整理した案の中に、行政委員会制度は、異議決定等の仕事をする場合を除いて、原則として廃止するという趣旨が出ておりました。ことに公安委員会とか教育委員会を全部廃止して、新しくできる中間団体に警察部、教育部というようなものを置くような案になつていました。私は、そういう点は十分審議したわけではないし、おかしいではないかといつたのですが、恐らく、行政委員会は廃止すべきだという意見の人が多かつたのでしよう。そのままウヤムヤになりました。そして、この線に沿つて答申案をまとめることにしたらどうだろうということになりました。てそのきまつたところに従つて具体的に答申案を起草する起草委員を選ぶことになりました。私は三好さんと終始論議し会つた仲ですから、二人は起草委員になることは避けて、中立の人の手によつてまとめられる方がいいのではないかと考えていましたが、結局私達二人と中立の高田元三郎さんとの三人が起草委員に選ばれて、起草委員として一、二回集まりました。ところが、その当時、ちようど地方自治法の改正が国会で難航しておりまして、答申案が発表されるということになると、一そう地方自治法の改正案の成立を妨げることになるおそれがある、もう少し時期を待とうと言つているうちに、任期が迫つてきて、はつきりと答申をまとめることができないままに、第二次地方制度調査会は終つてしまつたわけです。私自身はそこでまとまつた一応の結論についても賛成していませんでしたので、むしろまとまらないことを希望しておりましたし、このまま結論を出さないで流してしまう方がいいだろうと考えていました。こういうわけで、第二次調査会は、特別委員会及び総会で、単に経過を述べるだけに止め、結局、答申をしないで任期満了によつて消滅してしまつたわけです。

第三次地方制度調査会にその問題が引き継がれるはずでありましたが、ここでは、当面の財政問題をとりあげて、特に府県財政の対策を考えなければならないことになり、府県制度の改革問題には全然触れないで任期が経過してしまいました。

二 「地方」制案の成立の経緯

田中 昨年の秋から始まつた第四次地方制度調査会で、この問題があらためてとりあげられることになりましたが、委員としてこれに参加するに当り、私は自治庁の関係者に対し、また府県制度をとりあげても、第二次地方制度調査会における論議を繰り返すことになつては無意味である。従つて今度は前のような観念論、机上論でなく、現実の調査資料に基いて、もつと具体的に問題を掘り下げて検討するという行き方をすべきではないか、ということを申し、そのための資料の準備などもお願いいたしました。自治庁でも大体そのつもりで、数々の貴重な資料を用意しました。ところが、第四次調査会が発足してからしばらくの間は、種々の事情があつて、府県制度改革の問題にはふれないで過ぎてしまいました。そして今年の三月になつてようやくこの問題がとりあげられ、主として各方面の意見を聴取するという仕事が続けられました。官庁関係の意見を聞いたり、自治体関係の団体の意見を聞いたりしているうちに、数カ月が過ぎてしまい、七月二十二日の総会で、これを特別委員会に付託し、ここでいろいろ案を検討することになりました。特別委員会で若干の意見を交したのち、七月二十五日でしたか、府県制度に根本的な改革を加える必要があるという決定をし、その具体案の作成を小委員会に委ねることになりました。

特別委員会でこの問題を取り上げましたときに、私は、未だ検討すべきいろいろの問題があるのですから、府県制度に根本的改革を加える必要があるということをここで決めてしまわないで、もつと余裕をもつて、根本的改革についてさらに検討する必要があるという程度にしてはどうかといつたのですが、特別委員会としては、根本的改革をする必要があるということを決め、その具体案の作成を小委員会に委ねるということになりました。小委員会では、それ以来九月中旬まで、ずいぶん何回にもわたつて改革の方針及び内容についての論議を重ねたわけですが、それは、第二次調査会における論議のむしかえしで、折角準備された資料について具体的検討をすることを遂にしないで終りました。そして、ここでも道州制論がくりかえし強く主張されました。というのは、従来から道州制を主張していた人は大体そのまま委員として残つておりますほかに、新しく加わつた委員の多くが、どちらかといえば道州制的な考え方を持つている人たちであつたからでもあります。新しく加わられた挾間茂さん、河合良成さん、松隈秀雄さん、寺尾威夫さん、時子山常三郎さん、村瀬直養さんなど、大体考え方としては道州制論者ではないかと想像される人たちばかりなのです。従つて小委員会における議論も、大勢は道州制論で支配されていたと言つてもいい状態です。そこで道州制的な考え方では、中央集権的な官僚統制が強化され、地方自治は、否定されてしまうとまではいえないとしても、強大な国家権力のもとに圧倒されてしまうであろうことをおそれ、私は、地方自治を守る見地から、府県統合案を主張し、府県の完全自治体としての性格はあくまで貫いていくべきだ、ということを強調いたしました。そして、わが国の地方制度の基本として地方自治を尊重するという点に関する限り、近藤操さんとか、井藤半弥さんとか、湯河元威さんとか、その他にも従来道州制的な考え方をしておられた人々からも支持を得ることができました。

ところが、小委員会で、結局、幾ら議論をくりかえしてみても、なかなかまとまつた一本の結論を得ることはむつかしいということがわかりましたので、ここでは二つの案を作つて検討することにしてはどうかという話になりました。一つは道州制的な考え方に立つたもの、もう一つは統合的な見地に立つたものということにして、二つの案をまとめることにし、起草委員会に移す前に、どちらの見地に立つ者も、その立場にかかわりなく、道州制をとるとすればどんな案が最も合理的であるか、統合案をとるとすればどんな案が一番適当であるかという見地に立つて、みんなで一応議論をしようということになり意見を述べ合いました。そのとき、私は、道州制の見地に立つて案を作るとすれば、それは完全な官治道州制にするのが筋だということを申しました。これには、あとでもいろいろ批判があつたようです。道州制をつぶすための謀略だというふうにとつた人もあつたようです。また、小委員会でも、河合良成さんは、平素あれだけ地方自治を強調しながら、道州制にするなら官治道州制にすべきだという論理がわからないといつて憤慨されました。私としては、きわめて論理的な考えだと思つていたのです。というのは、道州は自治体としての実体をもち得べきものではなく、形だけ自治体とし、これが自治だとすることは、却つて自治の本旨をみだることになることをおそれたからです。私は、もとの府県などはほんとうの意味での自治体とは考えないし、かりに道州という形のものを作るとすれば、もつと官治的な色彩の強いものになるのが必然であり、これに自治体の性格を認めようというようなことを考えても、それは一種のカモフラージュの手段に過ぎず、立案者自身にとつてはむしろ自己欺瞞ではないかと少し強い言葉を使つたものですから、坂さんは憤然として、もとの府県を自治体と言えないというのはあまりにも実際を無視した観念論だといつて憤慨されました。私は、その道州に自治体としての性格を与え、形をととのえてみても、結局は、官治的色彩の強い官治道州制と同じものになる。また、そうしなければ、道州制論者の所期する目的は達成できない。従つて、われわれと立場を異にし、総合的能率的行政に重点をおいて、制度の建直しをしようというなら、むしろすなおな形でそれを提案して、世の批判に問うのが当然ではないかと考えていたわけです。世論がそれを支持するなら、私も一歩退いて自ら考え直すべきだというのが私の考えだつたのです。

　そこで、いろいろ議論をしましたが、結論的に道州制をとる場合にもいくらかでも自治体的な性格を認めていく方がいいというのが多数の意見であり、統合案の場合については、逆に、三好さんなども、統合案でいく以上は完全自治体でいくのが筋だろうということを主張され、統合案のあり方という点については、大体意見の一致を見たわけです。

　起草委員会に移りましてから、二回にわたつて、具体的にどういう案を出すかということについて検討いたしました。その際私は、区域の問題にしても、事務配分の問題にしても、まだ充分な検討をしていないが、そういうものをある程度具体的に案の内容に盛り込み、できあがつた制度がどういうものかを見通せるようなものでなくては案にならないのではないかということを申しました。それに対して、一部の人は、極端な言い方をすれば、道州制をとるんだ、ということを結論として出すだけでも十分意味がある、そんなこまごましたことを一々案の中に盛る必要はない、こういうことを強く主張されました。しかしこの点については、自治庁側からも、区域を全然案の中にのせないで道州制と言われても、ちよつと案としては困るのではないか、大体どういう区域を単位として道州というものを考えるのかということをできるだけ案の中に示してほしい、という意見が述べられ、また事務配分の点についても、やはり、大体どういう形になるのかということを知り得る程度の内容があつてほしいという希望意見が述べられました。それに対してもさらに反対の意見もありましたが、私も強くその点を主張しましたので、それでは簡単にそういう点を案の中に加えようということになりました。起草委員会で一応方針だけをきめ二つの組に分れて具体案を作ることになりました。というのは、全然考え方の違つた人が一緒にやつているのですから、なかなかまとまらない。むしろ道州案と統合案とを別々の起草委員に起草してもらう方がいいのではないかということで、二組に分れて起草することになつたわけです。道州案の方は、挾間さん、坂さん、三好さん、村瀬さんの四人が当られることになり、統合案の方は、最初は長浜さんを加えて、近藤さんと、私の三人で起草するということになつていたのですが、長浜さんは京都から出てこられないということと、また意見も多少違うからということで、実際の起草には参加されず、近藤さんと私の二人が当ることになりました。それぞれの組が二回集まつて一応その案を作り、それを更に起草委員会で検討し、小委員会にもち込んだわけです。

小委員会にかかりましたときに、この両案をどういう形にまとめていくかということが、いろいろ論議されました。一つの案にしぼつて特別委員会に出そうという意見もありましたが、私は、小委員会というのは、総会から、特別委員会、さらに小委員会というふうに、案を作るために委託されたわけであるが、ここで、はつきりと二つの意見が分れて、それが妥協する余地がないということであるのにかかわらず、ここでその案を一本にしぼつて特別委員会なり総会なりに持ち込むことは適当でない、最後の決定は当然総会でするようにすべきだ、ということを強調しました。これに対して、一部には、総会は国会議員とか、利害関係団体の代表委員が出ていて、公正に意見をきめることができない立場にある、むしろわれわれ学識経験委員が最も公正に意見を述べ得るので、その決定に一番権威が認められるはずだから、ここできめるのが当然だ、こういう意見を主張した人もありました。相当論議をかわしたのち、一応多数少数の採決はする、しかし少数案になつてもそれを没にするのではなく、特別委員会なり総会なりに持ち込み、審議の対象にするという諒解の下に、一応各案についての賛成者を、はつきりさせようということに落ちつきました。私はそのこと自体にも異議を述べたのですが、結局、一応採決をしようということで採決をしました。ところが、小委員会では、出席者だけについて申しますと、委員長、会長を除いて、九対七ということでした。村瀬委員が書面で道州案を支持されていたので、実質においては、十対七ということになつたわけです。

それから特別委員会に移りまして、十月七日、八日の両日、朝から夕方おそくまで、ずいぶん激しく論議いたしました。このときは、国会議員の委員で自民党から二人、社会党から二人、緑風会から一人の委員も参加され、また地方団体側から、各団体の代表者がそれぞれ出て来られました。二日の特別委員会を通じほとんど「地方」案――それは道州案と言つていたのを起草委員会で「地方」案ということにしたわけですが、――に対する反対攻撃に終始したと言つてもいいくらいでした。特に社会党の北山委員等から猛烈な反対があり、自民党委員からも、古井喜実さんなどは、これに対して強く反対の意見を述べられました。また緑風会の加賀山さんも、「地方」案に対しては反対で、むしろ統合案に賛成だという意見を述べられました。団体側は、府県側と市町村側とで意見が分れ、特に府県側を代表して友末委員から地方案に対する猛烈な反対意見が述べられ、この二日間の会議では、ほとんど地方案に対する攻撃が主で、序に統合案についても若干の質問をし、問題点を指摘されるというような状態でありました。ところが、いよいよ採決ということになりますと、自民党委員は、まだ党議がきまつていないので今採決に加わることは困るという理由で、採決に加わらず、採決のときには退場する、という態度をとりますし、社会党は、統合案についてはそうまとまつた反対意見も述べないし、また大して質問もしなかつたのですが、両案に反対、という態度をとりました。結局、決をとる頃には大分時間が遅くなつたため、退席する委員も多く、小委員の場合よりも人数が少く、会長、委員長を除いて出席十四人、そして地方案八、統合案四、両案に反対二という結果になり、特別委員会でも「地方」案が多数をもつて可決されるということになりました。このときも、少数意見として統合案を加えて総会に持ち出し、「地方」案とともに審議の対象とするということで決定をいたしました。

この特別委員会の案を総会に持ち出して、総会で三日にわたつて論議をしたわけです。答申案の初めに載つているのがいわゆる統合案ですが、結局、十七日の最後の総会で、出席者三十三名中十七名の、辛うじての多数で「地方」案が可決され、政府に答申されることになりました。しかし、統合案の方もこれまでかなり有力な支持者があつた意見でもあるし、今にわかにこれを無視することも適当でないと考えられたためでありましようか、少数意見もこれを「参考意見」としてつけ加えて答申することになり、十月十八日に前田会長から岸総理に答申されたようです。答申までの大体の経緯を申し上げたわけですが、詳しいことは後でまた御質問に応じ補足して申し上げましよう。

俵　今度の答申が出るまでの経緯には、その底流に二つの基本的な考え方の対立があつたわけですね。そして今度の答申にある「地方」案というものも、結局第二次地方制度調査会のときにでてきた道州制のアイデアと同じものだとすると、それを道州制と言わないで、とくに「地方」という普通名詞のような名前で呼ぶことにしたのには何か理由があるのですか。道州制というと官治的な臭が感じられるので、その言葉を避けたのか、それとも道州制とはちがうものが実際にあるということをあらわすためですか。

田中　これは小委員会のときに、道州という名前が今まである種の既成概念のようになつて一般に使われているけれども、道州と言う場合にもいろいろなバラエティがある。たとえば長浜さんなどももともと道州制を主張されていたのですが、最近、内容的には統合案に近い数府県を統合した区域を考え、新しい府県のあり方を示されている。ところがそれをも道州というふうに呼んでいる。どうもその道州という言葉が、何かきまつた内容を持つているようで、実は、内容的にはバラエティがあり、ちぐはぐになつている。そこで今度新しい案を出す際には、何か新しい名前ではつきりさせた方がいいのではないかという意見があつたのです。村瀬さんからは、首都圏という場合の、圏という字を用いたらどうかというような意見を出されました。いろいろ意見があつたのですが、結局、「地方」というのが一番平凡だけれども、東北地方とか、関東地方とかいう、実際の用法にも合つていいのではないかというので、「地方」という言葉を使つたわけです。これは小委員会の段階で、最初村瀬委員から出た圏案がきつかけになつて、たしか起草委員会で最後に案をまとめる際にいろいろ意見を交換した上で、「地方」という言葉に決めたわけです。

ところで、「地方」に置かれる執行機関を、地方長という名前で呼ぶことにしたのですが、当初、地方長の主宰する国の総合出先機関を、地方庁としていました。私は、地方庁の地方長などというのは、ここで話をする場合だけを考えても、混乱するくらいだから、どちらかを直したらどうか、こういう任命制をとつている以上は地方長官でもいいと思うがどうか、と申しました。ところがおそらく長官という言葉の持つ響きをおそれて敬遠されたのでしょう、地方長は地方長とし、役所の方を改めて、地方府にしようということになつたのです。

俵 府県を廃止して「地方」を置いた場合、そこで首都や大都市はどうするのか。これは府県の問題と一諸に解決しなければならないという考え方はなかつたのですか。

田中　特別委員会の段階でも、小委員会の段階でも、大都市制度をどうするかという問題と、大都市であると同時に首都としての特殊性をもつている東京をどうするかという問題は、府県制度の基本的改革と同時に解決されなくてはならない問題であることは十分理解されていましたし、自治庁としては、これをあわせて答申してほしいという希望を申し出ました。しかし、一般的な府県制度改革論議を繰り返しているうちに時間が過ぎてしまつて、大都市制度をどうするか首都制度をどうするか、ということを具体的に検討するひまは全然なくなつてしまいました。従つてあまり検討もしないで答申をするのはよろしくないというので、これは「別途考究」するということで逃げているわけです。

ところが、考え方としては、たとえば大都市制度をどうするかという問題を解決すれば、特に大都市側の府県に対する従来の考え方も変つてくる可能性がある、だからその問題をまず解決したらどうかというような意見もあり、また、道州制を主張する人たちの中に、ひとつ統合案の中に大都市について特別市制を認めるというようなことをうたつたらどうか、大都市側はたちまちそれについてくるぞ、という誘いの水をかけたりする人もあつたくらいです。結局、その問題は、答申の間に合わないので、将来、検討するということで、逃げることになりました。

田上　「府県制度改革の具体的方策」の最後のところに、今お話の首都につきまして、「現行特別区の存する区域については、基礎的地方公共団体を設ける等必要な調整措置を講ずること」とありますから、一つの基礎的地方公共団体を設けるという結論が、一応この案ではでているのですが、それはどうでしょうか。

田中 その点のいきさつはこういうことなんです。自治庁では、府県を廃止することは別に憲法に抵触するものではないという態度をとってきておりますが、日本全国に通じて、少くとも、都道府県か、市町村か、少くとも一段階だけは、憲法のいう地方公共団体――すなわち完全自治体――を設けることが憲法上の要求である。もし東京都の都制を廃止して、関東「地方」というものの中にとりこんでしまうということになれば、二十三の特別区の存する区域については、完全自治体が全然なくなる、それは自治庁の従来の考え方からすると、憲法違反になる疑いがある、というのです。鈴木次官は、こういう説明をしたのです。従って二十三区の存する区域についてはどうするか、ということを何かうたつておかないと、この案は、憲法違反になるのではないかという心配があつたからでしよう、二十三区の存する区域については、もとの東京市を復活するとも言えないものですから、「基礎的地方公共団体を設ける等必要な調整措置を講ずること」ということにして、そこを濁したのではないかと思います。そういう事情ですから、まだこの点については、だれも、確信を持つてこうしようというまとまつた意見はないのではないかと思われます。

三 「地方」制の基本的な考え方

俵 では、地方制の内容にはいりましようか。

田中 その内容にはいります前に、一応両案の考え方の根本的な違いを申し上げておいた方がいいのではないかと思います。それは、答申案のそれぞれの最初にでている「地方制度改革の基本方針」

というところを読んでいただけばはつきりわかることですが、根本の考え方の違いは、「地方」案の方では、国家的な見地から各種行政の総合的能率的経済的な運営という点に重点を置いている。昔と違つて、今日の行政は、複雑多岐にわたり、しかも非常に重要性をもつようになつている。限られた国土の総合利用を図り、資源の徹底的開発を図るというような重要な仕事もあるし、社会保障その他一定の行政水準を全国的に維持していく必要のある仕事もあるし、そういう複雑な行政を国全体の見地から総合的に、しかも経済的能率的にやり、国民の負担を軽減していくということが今日の一番重要な課題である。ところが、現在のような府県の制度をとつていると、それぞれの行政について国の出先機関が濫設されて、バラバラの行政が行われることになるのは必然で、全体の行政の総合化をはかり、能率的な運営を期することは到底できない。今日、わが国が国際的な競争に打ち克つて行くためには、国全体の立場から、行政を総合的に、しかも能率的経済的にやつていくことができるような制度を立てていく必要があるというのです。そしてこれは決して地方自治を否定する趣旨ではなく、これによつて、却つて地方自治の伸張を図ることができるというのです。憲法にいう「地方自治の本旨」は、市町村自治の拡充強化によつてこれを達すべきである、町村も、合併によつてだんだん行財政能力を充実してきたのであるし、地域的にも相当広域行政を行うことができるようになつてきたので、これらの市町村を充実強化していきさえすれば「地方自治の本旨」の実現はできる、こういう考え方が根本だと思います。かような見地から、一方では総合的な、しかも能率的で経済的な行政の遂行に妨げとなつている完全自治体たる府県はこれを廃止する必要があり、他方、市町村自治の発展を阻害している府県はその見地からも廃止する必要がある。この二つの面のどちらからいつても、府県は廃止するのが当然だという考え方です。そして広域行政をやつていくのにふさわしい区域という意味で、七ないし九のブロックを分け、各ブロックごとに総合行政をやつていくことができるように国の総合出先機関を設け国の出先機関はすべてこれに統合する、従来府県のやつていた仕事のうちで、市町村に移譲できるものはできるだけ移譲し、移譲できないものは「地方」に吸い上げ、又はこれを地方長の権限に属させる。こういう考え方をとつているわけです。

そこで「地方」というのは主としては、地方長の支配する、国の行政区画的なものになるだろうと思うのですが、案の建前は、「地方」に自治体としての性格を認めて、自治体としての性格と国家的な性格をあわせ持つたものにしよう、そして自治体としてこの「地方」には議決機関としての議会を置き、四十人から百二十人までの議員で構成するものとする。「地方」の執行機関は、国の総合出先機関として、内閣総理大臣から「地方」の議会の同意を経て任命される地方長があたる。いわば一種のパーソナル・ユニオンの形で行政の総合的・能率的な運営をはかつていこうというわけです。従つてその考え方の当然の帰結として、行政委員会というものは置かないということにもなります。地方の事務の点については、現在国の処理している事務や府県の事務で市町村又はその長に移譲できない事務は、できるだけ地方又は地方長にやらせることにしようというのです。財界出身委員がこの案を支持される理由は、現在、何もかも、東京に来なければ解決されないような状態であるのを、今後は地方長の手に分散することによつて、問題を迅速且つ適切に解決することができることになるのではないかという点にあるようです。ところが、現在の市町村ではまだ行財政能力が充分でないために、府県の仕事の中には市町村におろせないものが相当ある、そうなると、地方府だけでその行政をやつていくことは実際上ほとんど不可能である。そのために、現在の府県単位に支分庁を設け、これに実際の行政をやらせなくてはならないことになるわけです。

要するにこの案のねらつているところは、地方長というものを国の総合出先機関として置くことによつて、今日濫設されている国の出先機関を廃止し、それらの事務を地方長に統合することができ、そこで総合行政を行うことができる、その支分庁を活用することによつて、従来府県がやつていた仕事の多くを適切に処理することができるということです。そして「地方」は、自治体としての性格を持つているので、課税権をもち、起債能力ももつことにし、更に、できるだけ独立財源を与えることにしようというのです。全体としては、国の立場から考えて、行政をできるだけ総合的に能率的経済的にやつていこうということが狙いです。地方自治をこれによつて拡充強化するんだということをうたつてはいますけれども、質疑討論の過程において、市町村自治がこれによつて充実発展されるというふうにいうのはおかしいではないか、ということがいわれ、起草委員もそれを承認せざるを得ないような状態でした。ですから、この案の根本のねらいは国の立場に立つてものを考え、できるだけ経済的能率的に行政をやつていくことが、国民にとつては租税負担を軽減することになり、行政の目的を達するゆえんだということにあると思います。もちろん、制度の改革をするという場合には、国の行政機構を根本的に改革することも必要ですし、その他運営の方法に根本的な改革を加えることも必要になつてきます。区域の点については、大体、七、八、九のブロックに分けるという三つの案が出ていますが、その内容はほとんど検討したものではありません。大体、七つ、八つ、九つぐらいのブロックという参考案を出しておけば、一応の見当がつくだろうというので出しているだけです。

四　府県統合案の考え方

田中　次に統合案の考え方ですが、統合案の一番の特色といいますか、地方案の考え方と違つているところはこういうことです。制度改革を考える場合に、現在の制度にいくらかの欠陥があることを理由として、その制度を全部やめてしまおうというような飛躍した考え方に立たないで、その制度に長所があればその長所はできるだけ伸ばしていこう、短所又は欠陥があるなら、その短所なり欠陥なりはどういう理由によつて生じているかということを追及し正確に把握して、具体的にそれに対する適切な手当をしていけばいい、という考え方です。で、これまでお話しましたように、特別委員会でも、小委員会でも府県制度の根本的改革をするときめてかかつて「地方」案というものができてきたわけですが、現在の府県制度にはいろいろ欠陥はある、しかし戦後できた民主主義にのつとつた制度の最も重要なものの一つとして、現在の府県制度には幾多の長所がある、その長所は今後できるだけ伸ばしていくべきである。これを忘れてはならない。しかし短所欠陥をそのままにしておいてよいというわけではないので、その短所については、これに対する具体的な対策を考えていくことによつて解決をはかるべきだ、という考え方に立つたものです。従つて、ここでは、第一に、戦後にできた地方自治の本旨の具体的制度的な実現としての府県制度の根本的な特色とするところにはあえて触れないという考え方、すなわち民主的な知事の公選制とか行政委員会制とかは変えないで、現在、その欠陥とされている点についてそれぞれの必要な手当をしていこうというのです。こういう見地から、区域の点については、今日要請されている総合開発とか、その他広域行政といわれるものも、四国と中国とを一つにしなければ解決できないというような問題は殆どない、むしろ、水系等を中心として総合開発を考え、あるいは災害防止を考え、あるいは治山治水の問題を処理していくということは充分できる、道州制によると、かえってその境界線上に問題となるようなところができてくるのではないか、むしろ、二三府県の統合をした方が、ほんとの目的に合するのじやないか、広域行政の目的に合するという見地からいつても、この程度のところで考えていつたらいいではないか、ことに地方自治の単位としては、道州制的なブロック単位では広すぎ、地方自治は成り立たない、二、三府県というところで考えていつたらこれも可能ではないか、こういう考え方に立つたわけです。ところが、途中で三、四府県というふうに変つたのですが、それは、道州制案を主張する人たちが、統合案を見て、一番多い場合を見ると、五つの県が入つている、二、三府県といつて五つの府県が入つているのはおかしいではないかというのです。私はそんなことはどうでもよいと考え、三、四府県というふうに直しただけです。

次に、現在の府県制度の欠陥の一つとされていますのは、二重行政・二重監督ということです。これは実際に調査をしてみて、ほとんど問題にするほどのことはないと考えました。しかし府県と市町村とがそれぞれその機能を分ちあい、府県はいわゆる広域団体として広域行政に中心を置いてやっていく、市町村は市町村民の日常生活に直結した庶民行政をやつていくというところにその解決の方向をきめて、国の事務をできるだけ府県に移譲する、府県の現在やつている仕事の中で、市町村民の日常生活に直結する仕事はこれを市町村に移譲するということにすれば、問題は解決されるのではないか、そしてこれはすでに地方自治法の改正で方向づけられていることでもあり、ここでそれを徹底的に追及することにすればいいのではないかという考え方をとつたわけです。

次に、もう一つ国の立場から常に文句を言われることは、今日、府県にしても、市町村にしても、国家的な仕事を委されながら、国の思うように仕事をしないということです。こういう状態では府県に仕事を委せるわけにはいかないし、今の府県制度のままにしておくわけにもいかないというのです。それに対して、私はたびたび言つたことですが、確かに現在の国の監督の手続は法規の上では煩雑である。しかし府県なり市町村なりが法律上当然すべきことをしないという場合には、裁判所にそのことを訴えて、裁判所がそれを拒否するということはないだろう。若干の手続のめんどうがあつても、どうしても必要だというなら、その措置をとつて実行すればいい。しかし、いまだかつてそれをやろうとしたことも聞いたことがない。そこに国の側のいうような具体的な問題があるとは思わない。しかし今後国の事務を府県なり市町村なりに大巾に移譲せよという場合に、現在のままでは不可能だというなら、その違法な処分の取消を認めるとか、違法に、処分を行わない場合の代執行について、現在よりも簡素な手続を認めるということにしてもよい。そういう制度にして、事務の移譲を徹底して行うということにすればいい、こういう見地から、監督手続の簡素化の問題をとりあげたわけです。ところが、これに対しては違法な処分を行うとか行わないとかいうことが問題なのではない、府県のやつていることはどうもおもしろくないと考えられる場合に、国が默つてそれを見ていなくてはならないというのでは困る、こういう意見がありました。そこで、私はおもしろくないとか、妥当でないとかいうことはだれが判断すべきかがそもそもの問題ではないか、中央官僚が判断しておもしろくないときは、中央官僚の思うようにせよというのは、正に官僚統制的な考え方である。おもしろくないとか適当でないとかいうことは、それぞれタックス・ペイヤーとしての地方の住民に判断させ、地方の事務については、地方住民の妥当とするところに従つて適切に処理させるというのがほんとの地方自治の精神なのではないか、前者のような考え方からすれば、府県の自治だけでなしに、市町村の自治についてまでこれを否定することになるのではないかという反論をしたわけです。国の地方に対する監督に関しては、客観的な判断の可能な違法の場合について、若干その手続を簡素化することによつて、事務の移譲を容易にしようという考え方をとつたわけです。

現在の府県制度についての第三の問題点とされるのは、府県知事のやつている行政が選挙対策行政に終始しているという非難ですが、それに対しては、私は、府県知事が選挙対策行政で終始することができるほど府県財政のゆとりのあるところがどれだけあるか、若干の非難すべきものがあるとしても、それが直ちに知事の公選制を廃止するだけの理由になるとは思えない、ということを申しました。また、知事の選挙には金がかかる、これではいい人が出られない、ということもしばしば意見として述べられたのですが、これに対しては、それは選挙制度の改正によつてある程度解決することができるという考え方をするわけです。ところが、どうしても、現在の知事公選制には、選挙対策的な欠陥が致命的である、というような意見があるものですから、それについては、一つの方法として、選挙制度の改正問題もありますが、引き続き再選を認めない、というようなことを案として考える余地がないことはない、という意味で、再選禁止を書いたわけです。

で、あとは、現在の制度に根本的に改革をしなくてはならないような欠陥があるとは思えない、むしろ二、三府県を統合して、広域行政をやらせるということになれば、現在の府県を支分庁のような形で維持する必要もなく、新らしい制度の下に、行政の能率的運営なり、機構の簡素化なりをはかることができるのではないか、結果的には「地方」案の場合よりも、一そう機構の整備・簡素化とか、行政の能率化とかの目的を果し得るのではないか、という考え方なのです。要するに、これは「地方」案に対して、現在の府県自治及び市町村自治を、その基本的な体制においては、くずさないで、むしろその長所を伸張させていこうということをねらいとした案であるわけです。

五 「地方制度改革の基本方針」について

俵 今、田中くんから、こんどの答申が出るまでのいきさつなり、答申の考えかたについてお話を伺つたわけですが、そこで、府県を廃止し「地方」及び地方府を置くという答申の内容にはいつて、具体的に問題点を検討してみたいとおもいます。話の進め方としては、一つ一つの問題がそれぞれ相互につながりがあるのですが、一応答申の初めの方からみていつて、順次問題点をとりあげ、それについて御意見を出していただくことにしてはとおもいます。

そこで、まず第一に、「地方制度改革の基本方針」からみることにしますと、先ほど田中くんから、「地方」案の特色を参考意見である統合案と比較しながら、答申の基本的な考え方についてお話があつたわけですが、答申そのものがあらゆる問題点を充分に検討しつくしたうえで、対立する意見を調整し、慎重に練られたものだというふうにはどうもおもえない、何だか大急ぎで案が作り出されたような印象をうけたのです。したがつて、「地方」案の構想には、いろいろ抜け穴やごまかしがあるようにおもうのです。たとえば「地方制度改革の基本方針」について、目についた点をとりあげてみますと、この答申は、その基本の考え方なり内容におきまして、中央の立場から地方の行政を今よりもつと能率的に、経済的にやつていけるようにする、こういう点は非常にはつきりと出ているのですが、しかし、これを地方自治という観点から見たらどうなるか、この点、基本方針の中には、「日本国憲法の基本理念に基き地方自治をより一層進展させ」るとか、「日本国憲法の基本理念たる地方自治の本旨を尊重してその実現に資する」という改革の見地を強調して、そのために現在の府県を廃止するのだということを言つているのですが、その趣意は、おそらく、基礎的地方公共団体たる市町村の育成強化をはかることによつて、地方自治の本旨が実現されるのだという意味であろうとおもわれるのです。そうしますと、現在の府県制度が基礎的地方公共団体である市町村の発展を阻害しているので、これを廃止することが憲法の基本理念に基き地方自治の本旨を尊重することになるという論法にならざるを得ないのですけれども、そこに論理の飛躍がある。市町村の育成強化をはかることが地方自治の本旨を尊重するゆえんであることは確かですが、府県を廃止しなければそれができないものかどうか。また具体的にどういうふうにして市町村を育成強化するのか、そういう点は何も示していないのです。なるほど、現在、市町村は府県を「目の上のこぶ」のように感じていることは事実でしょう。そこでさしあたりそれをなくせば、あとはどうなるのか、府県を廃止したあとで、いつたい市町村はどれだけの事務と財源がふえるのか、また府県に代つてどういう監督をうけることになるか、こうした点は答申ではすこしもあきらかにされていませんから、答申が府県を廃止すれば、地方自治は進展するのだといつても、それにはまつたく実証的な根拠がないとみるほかはありません。もし当の市町村が、府県を廃止すれば、目の上のこぶはとれるし、その権限と財源がころげこむというふうにほん気で考えているとしたら、それは大へんな間違ではないかとおもうのです。その他にも、この答申の基本方針には疑問が少くないとおもうのですが、問題を提起する意味で、まず私の考えを申し上げてみたわけです。

原 田中くんからも俵くんからも言われましたが、この基本方針のねらいは、行政の能率的な運営とか行政経費の節約、そういう点を非常に強調しているのでありますが、もちろん基本方針の中にも示されておりますように、現行府県制度にはいろいろ欠陥があるということは私も認めますけれども、しかし今の府県制度をどういうふうに改めるかという問題について、その考え方としては、やはり、憲法のいう「地方自治の本旨」を実現する、そういうところに改革の基本方針がなくてはならないと思います。

ところで、その基本方針におきましても、「基礎的地方公共団体たる市町村の育成強化を図ることによつて、日本国憲法の基本理念たる地方自治の本旨を尊重してその実現に資する、」こういつている。しかしこの点に、私も非常に疑問を抱いています。というのは、第一に、この答申が府県を廃止して「地方」にする、その「地方」の性格を地方公共団体としての性格と国家的性格を併有するというふうにいつておりますが、長を任命制にするとか、そのほかのいろいろな点を総合してみますと、非常に国家的性格の強いものになつている、そういう意味におきまして、国家的な官僚統制が強まつてくるということが言えるとおもうのです。

また、他面におきまして、市町村自治の実態というものを考えてみますと、基本方針では、「一般の市町村についても、町村合併のめざましい進捗により、近時画期的に充実されてきた」とうたつていますが、なるほど、最近の町村合併によりまして、ある程度市町村の行財政能力が今までよりも充実したという点は否定できないと思うのですけれども、いくらか町村合併に関係いたしましてその後町村合併の効果とか実績とかいうものを見守つている者としまして、基本方針にうたつている「近時画期的に充実」したというふうには決して見ることができない。これは、全国に二百以上の市が新しくできたという事実をみても、あるいはまた合併された町村につきましても、まだまだこれからその行財政能力を強化するためにはずいぶん長い時日をかさなければならないというふうなことを考えてみても、こういう弱小の市町村が、もし府県が廃止されまして国の出先的なものになると、いよいよ市町村の自治というものが後退する、ここに「基礎的地方公共団体たる市町村の育成強化を図る」とうたつていますけれども、むしろ市町村の自治が抑圧されて、憲法の基本理念である「地方自治の本旨」を阻害する、こういうおそれが多分に感じられるのであります。憲法にいう地方公共団体の中には、市町村はもとよりでありますが、やはり現行法のもとにおける完全自治体としての府県というものを含めて考えなくてはならないのではないか、そういう意味におきまして、もし府県が官治的な「地方」制というものになりますと、今まで府県を含めた地方団体のもつていた事務というものが国の事務になり、それだけ地方の事務が縮小する、そういう意味から申しましても、やはり地方自治が後退するおそれが充分あると思うのであります。

イギリスにおける地方制度改革問題のとりあげ方をみましても、地方行政のサービスを確保するということは考えなくてはならないけれども、同時に、あんまり区域が広くなるということになりますと、民主的統制力が薄れて官僚的になる、つまり地方制度の改革を考える場合には、能率的であるということと地方的であるということが両立するように、考えなければならないということを指摘しております。そういう意味において、今度の「地方」制のような考え方は、イギリスの地方制度改革の基本的な考え方に照らしましても、非常に問題になる点が多い、反省すべき点があるのではないか、こういうふうに考えます。

鵜飼 私も、大体、原くん、田中くんの言われた点に根本的に賛成なんです。「地方」案の基本的な立場といいますか、こういつた「地方」というものを作ろうという方策の根拠として、非常に技術的な根拠を、行政技術的な、あるいは財政技術的な根拠をあげているわけです。それは、抽象的に考えればある程度確かにそのとおりだとおもいます。つまり、現代国家の行政というものは、行政の能率的な運営という行政学的な面、あるいは行政経費の合理的な消費という財政学的な面からいえば、当然広域行政にならざるを得ない。それに対して、現在の地方制度というものは、古い地方公共団体の区域を基礎にして、そうしてそれが何といいますか、非常に細分されているために行政を総合的効率的に運営することができない、そこでこれを広域化しなければならぬという要求をもつていることは疑うことができないので、技術的にいえば全くこの根拠は当つていると思うのです。しかし、私はそれに加えてもう一つ見なければならない根拠がある。それがすなわち、少数意見として府県統合案に示されている根拠ではないかと思います。つまり抽象的技術的な面の重要性は否定できないけれども、しかしもう一つの具体的な、あるいは歴史的な根拠というものを無視しては日本の制度の改革はできない。それはなにかというと、なぜ戦前の地方制度が戦後において根本的に改革をされたかということだと思います。この「地方」案はそれを非常に簡単に批判しまして、戦後の地方制度の改革すなわち特に都道府県の性格が半官治的な地方公共団体から完全な地方公共団体になつたということが、国と地方との協同関係を確保し、行政の水準を保つ上において妨げになつているというふうな批判をしているのですが、この批判自身が、すでに技術的な面からのみいえることなのです。そういう面からだけみて、こういうふうな改革しなければならなかつた歴史的な要求を正しく認識していない。そういう点に、私は地方案の根本的な欠陥があると思うのです。

ではその歴史的要求というのは何かと申しますと、それはつまり、中央官僚の統制によつてなるほど能率的な行政は行われたかも知れないけれども、それは国民の要求に必ずしもそわないものであつたということとの反省にもとづく改革ということです。たとえば国民の要求に反して戦争に引き込まれるというふうな事態を再び結果しないようにということなんです。これを改革するためには、どうしても強い民主的なコントロールの可能な制度に改革しなくてはならない。そこで中央の政府も民主的なコントロールの下に立つような制度に改めなければならないけれども、同時に、それに伴つて地方公共団体も住民の意思が反映するような組織にしなければならないという根本的な問題があつた。これが都道府県をしてその性格を変更させるようにした理由であると思うのですが、これを無視して、単に行政の能率化という見地だけから、つまり技術的な観点だけから、もとの制度に返る、あるいはもとの制度よりもつと強い中央集権的な制度にかえることは、戦後の制度改革に対する認識が非常に欠けているのではないか。その意味で、根本的にみて、この「地方」案には私は出発点で賛成できないのです。

俵 田上くん、答申の基本的な考え方について何か御意見はありませんか。

田上 答申の基本的な考え方は、どうも抽象的ですから、いろいろに見られますけれども、それは今御指摘になつたように、能率的経済的な行政の運営という面を強調していることについては、私はそのこと自体は正面から間違いだとも思いません。けれども、問題は、やはり今御指摘のあつた民主化という方面と、両方を突き合せていかなければならない。従つて、一方にあまりに偏するということがあればそれは確かに問題があるので、一体どの程度の線で民主化の要求つまり住民の行政に対する民主的なコントロール、それが結果においては多少非能率的になつてもやむを得ない、あるいは費用が余分にかかるようなことがあつてもやむを得ない、そういう民主化の要求と、それから他方で、能率的、あるいは経済的な運営、この要請をどういうふうにマッチさせるかということに、考えなければならない点があると思うのであります。私はそういう意味において、先ほどのお話からみると、この「地方」案は相当一方に偏しているという感じを受けるのであります。

答申についている少数意見の方をみましても、現行の府県制度がそのままでよろしいというわけではないのでありまして、そこに現在の制度に対して相当な程度の能率的経済的運営ということを考慮に入れたうえで「少数意見」が出ているのでありますから、その点で能率的経済的運営ということが間違いだとはもちろん思えないわけですが、ただ、民主化の要請とのかね合いといいますか、その関係で比較してみれば、やはり「地方」案の方は相当に一方に偏しているというふうに思うのであります。

なお、先ほどでました憲法の議論になつてくると、私自身は、これはいずれまたあとからお話があると思いますけれども、必ずしも明確に憲法がこうなつているということはちよつと言えないと思うのであります。やはり憲法の議論というのは同時に政治的な要請も当然含まれてくるわけでありまして、現実の政治、単なる規定の字句の解釈ではなくて現実の政治、特に日本の国民の従来の政治的な意識と申しますか、そういうこともやはり考慮に入れなければならないと思います。そういう点では、簡単に結論は出しにくいと思うのであります。特に、国会でこれから新しく法律を作るという場合に憲法を解釈する場合と、それからもしかりにこういう多数の意見による「地方」というような制度が立法化されたときに、それが違憲か合憲かということを裁判所が判断する場合とではかなり違うことが、こういう問題については考えられるのであります。しかし地方案はまだ現在は法律化されていない、これから法律を作ろうというときの問題でありますから、そうした場合には、やはり憲法上の議論のある問題につきましては、よほど慎重な態度をとる必要があると思います。もつとも合憲、違憲という理論だけで、直ちに、「地方」案の可否を決することができるとは思わない。それはもちろん区別すべきものだと思いますけれども、しかしまた、政治的な批判としての憲法でありますから、やはり政治的な考慮を全然無視して、単なる法の論理において解釈することは正しくないということを考えております。そういう意味で、こういう地方制度の改革が立法化する段階では、特にそういつた点を考慮して、慎重な態度が望ましい。ことに民主化という点をもう少し考慮すべきであつて、相当一方の能率的経済的運営という面に偏しているという感じをもつております。

俵　憲法問題については、私も「地方」制には憲法上の疑義があると考えていますが、一応それを別にすれば、答申の内容についてのお考えは、結局、地方行政の民主化という要請と能率化の要請を調和させる方法として、「地方」案と統合案とでは、「地方」制の方が比較的一方に偏しているというように承つたのですが、それだと、「地方」案と統合案は、結局程度の差だというふうにみておられるのでしようか。

私は、この二つの案には、本質的に違うものがあるのではないかとおもうのです。この点、鵜飼くんの御意見だと、府県の区域は、これは何としてもひろげる必要があるが、昔の制度を連想させるような官治的な形にもつていくということには出発点で見解が違う、こういう御意見であつたとおもいます。その点については、田上くんはどう見ておられるのでしょうか。

田上　区域の点では二つの案は程度の差でしようが、しかし問題の中心は、やはり首長の公選制であろうとおもうのです。しかしもつとこまかい違いがあるようでありますから、先ほども伺つていましたのですけれども、まだ充分に意見を申し上げるまでにまとまつておりません。しかし、ちよつとみてすぐわかることは、長の公選制か、あるいは任命制か、これは確かに非常な違いがある。単なる程度の差ではないと思つております。

俵　林田くんはどうですか。

林田　私は、率直に申しまして、「地方」案と申しますのは、憲法違反の疑いを多分にもつた案ではないかというふうに考えています。それは、憲法が「地方自治の本旨」ということを原則的に規定した経過と申しますか、歴史的な事実、そういうことから当然出てくる結論だと思うのであります。その場合、能率的な行政の運営ということと民主的な行政の運営ということの問題になるのですけれども、地方におりまして私の体験しましたところでは、日本の行政の運営で歴史的にいつて一番能率が上つた時代は総監府の存在していた時代だといつて非常に誇示されたことを記憶しております。この「地方」案というものの内容をよく検討してみますと、昔の中央集権的な官僚行政のわくの中に入つた府県制度を復活する、あるいはまた総監府をそのまま復活する案を意味しているように思うのであります。それは憲法に「地方自治の本旨」というものを規定した趣旨に真正面から反対する行き方だと思います。憲法違反という断定を下したいと思うのです。

俵 柳瀬くんの御意見はいかがですか。

柳瀬 私は、二つの案について意見を申し上げますが、どっちも、実は期待したほど新味がない。悪く言えば、あまり知恵のない案だという感じがするのです。

まず「地方」案と言われているものをみますと、これは府県の改革案ではなくて、昔の府県と同じもので、ただ区域が広くなつただけだ。ですから、区域が広くなつたという点では多少問題を解決していますけれども、実は問題はそれだけではないのであつて、ほかにも問題があるのだから、これでは問題のごく軽微な一部を解決しただけに過ぎないのではないか。私は昔にかえるから必ずしも悪いと言うのではありません。地方自治ということをやかましく言い出したのも、アメリカがいつたからそうなつたんで、何も日本人が心から生活の経験上必要を感じてなつたのではないと思つていますから、それが逆戻りしたから一口に悪いと言うのは観念論だと思うけれども、しかし問題は、交通が発達したとかなんとかで、区域を拡げる必要があるという問題だけではなくて、地方には、ほんとの地方的な事務と、それから国家が統制しなければならない事務とがある。それをお互いにどういう分担の仕方をするかという重要な問題があるんだが、この案では何らそれを解決していない。

それから統合案の方は、全く今の府県の制度を維持して、ただ区域を広くするというので、これでも現在直面している問題の全部は解決されない。

結局、非常に形式的な考えですけれども、やはりこの二つの案では府県のもっている問題のすべては解決されない。私の考えでは、いつも平生から言っているように、府県は府県として残して、そうして別に国の行政区画として「地方」なら「地方」というものを置いて、はっきり仕事を分けて行わせる。それで初めて形式上はっきりした制度になるのではないかと思うわけです。ですからどっちの案にも満足できない。もっと悪く言うと、こんなものを、一年も二年もかかって作るとは何と甲斐性のない話だという気がするんです。

田中　柳瀬くんの意見と大体同じような意見が、委員の中からも出たんです。これは一つは挾間さんの主張された意見であり、一つは、多少違うかもしれないけれども、時子山さんの主張された意見でもあります。それからまた自民党の中でも、加藤精三さんは大体そういう意見のようです。われわれは、それを府県立ち枯れ論と言っているんです。柳瀬くんは、初めから、国の事務とか地方の事務とかいうものを、事務の種類によってすっきり分けられるように観念的にきめてかかっておられる。現在府県のやってる仕事が、国の事務とか地方の事務というふうにすっきり分け切れるものなのかどうかというところに、根本の問題があるのではないかと思う。大体、各省庁のとっている考え方、自治庁は必ずしもそうでないかもしれませんが、各省庁がもっている考え方は、現在市町村のやっている仕事であれ、府県のやっている仕事であれ、みんな国家的な性格を持った仕事だと考えているのではないかと思われる。そういう仕事を公選の首長やその主宰する団体にまかせることはできないという気持が、従来からも非常に強いのです。だから、地方行政調査委員会議で事務再配分の案を出しても、それは全然無視されたと言つてもいい状態で、府県や市町村にそういう事務が移譲されるということは到底期待できなかつたわけです。というのは、これらの仕事は、何れも国家的性格を持つた仕事で、国が責任を持つてやつていくべきだという。ことに中央政府が民主的な組織なんだから、国が責任をもつてやつていくことがなぜ民主的な要求に反するんだ、とこう高飛車に出てくるのです。現在の改革論もその考え方を肯定し、それを国の出先機関の手によつてやらせよう、そういう方法によつて地方における行政の総合化をはかり、能率的な運営を期していこうという考え方になつているとおもうのです。

柳瀬くんのような言い方をすれば、いかにも事務が国の事務と地方の事務というふうにはつきり分れるようですが、実はそうは言えない。教育の仕事にしても警察の仕事にしても、ここで議論しても、当然国の事務だと考える人もあるし、そうではないと言う人もいる。消防の仕事とか、保健所の仕事とか、福祉事務所の仕事とかいうことになりますと、国の事務とも言えるし、地方の事務とも言える。何が国の事務かという問題が、はつきりしないんです。たしかに、国が国全体の見地から総合的に企画し、また統一的に実施することがどうしても必要だとか、国がどうしても責任をもつて一定の水準を確保しなければならないというような仕事ももちろんある。そういうものをなるべく国みずからの手によつて、あるいはその出先機関の手によつてやりたいという気持はわからないことはない。しかしそういう行政でも、もし地方住民の生活に直接関係の深いものであるならば、地方議会なり、地方の首長なり、それぞれ住民の民意を反映する機関の手を通して、一定のわくの中で地方の実情に応ずるようにやっていくというのが行政のほんとうのやり方ではないか、身近なところに民主的コントロールの機関がいて、その機関のコントロールを受けながらやっていくという体制が十分に実現できるのではないか、こういう考え方もある。そういう見地からすると、現在府県のやってる仕事は全部国家的性格を持った事務だとか、その大半が国家的性格を持った事務だということを前提にして、そういう性質の事務なんだから首長公選の府県には移譲できないというその考え方を当然の前提として承認し、だから国の直接の出先機関を設けなくてはならないという考え方がそもそもおかしいのではないか、とおもう。地方長は、そういう意味で、国の総合出先機関としての地位をもつものとし、これが国家的な性格を持った仕事を処理することにしようということを考えた案なのです。

六 「地方」の官治的性格

田中 地方案では、「地方」は、自治体としての性格を持つものだとしているわけですが、「地方」という自治体に一体どんな仕事が残されるのかを考えてみると、ほとんど何も残らないのではないか、とおもう。府県がやっている仕事、ことに、府県知事が国の機関としてやっている仕事はもちろん国家的な性格の強い事務であり、それは国の責任でやるのが当りまえだという考え方に立っているのですから、「地方」に残される事務、すなわち地方の議会の批判を受けながらやる仕事として、一体何が残るのかという疑問を持つわけです。

また、府県の仕事はできるだけ市町村におろすということをいつてますが、大都市の場合はいざ知らず、小さな市町村になると、行財政能力が充実したといつても、従前とほとんど大した変化もみられない。貧乏な村が二、三集つて町になつたところで、それが行財政能力において著しく強力な町になつたとか、その著しい充実を見たとかいうことは言えない。また、大都市と町村の間には著しいアンバランスがあるということになりますと、どれだけの仕事を市町村におろせるか、客観的に公平に見ても、私は大いに問題があるのではないかとおもう。ことに、国家的な性格を持つている事務なんだからという考え方に基いて事務の移譲を拒否してきた今までの政府の根本の考え方からいうと、市町村の段階にそうたくさんの仕事をおろすというようなことは到底考えられない。国家的な立場に重点をおいて府県制度の根本的改革をしようという考え方に立つ場合に、現在、府県のやつている仕事を市町村におろすということは、それ自体矛盾があるのではないかという感じさえします。そうなると、「地方」は、自治体としての性格を持つというけれども、その「地方」に残される仕事というものはほとんどなく、しかも、市町村には現実におろせないということになります。そして今府県のやつている仕事の大部分が国の総合出先機関としての地方長の権限に移される可能性の方が多い。これがむしろナチュラル考え方だともいえる。そうなれば、市町村を充実強化して「日本国憲法の基本理念たる地方自治の本旨を尊重してその実現に資する」というようなことは、紙の上には書いてあつても、実際には実現される可能性は全くないと言つてもいいのではないかと思うのです。

市町村の行財政能力が、充分に充実しているといえないことは、この案を主張する人も認めているのです。紙の上には書いてあるけれども、今日なおその点に不充分なところがあるということは、だれも否定できない。その点については、市町村側では協同組織を作つてやつていくこともできる、一部事務組合のような組合組織でやつていつてもいいというふうなことを言うのですが、たとえばその仕事を具体的に考えてみて、学校のためには学校組合を作り、道路河川の維持管理等の仕事のためには、そのための組合を作り、保健所の設置管理のためにはまた別の組合を作るということになる。無数の組合がいろいろな形で沢山にできることになるのでしようが、これで行政組織の簡素化とか合理化とかその運営の適正化ということが図れるのか、また、経費の点からいつても、一つの組合を作れば、そこに人事とか会計とかの、サービスの面には少しもプラスしない人員を必要とし、またいちいち設備も整えなくてはならない。無数の協同組織ができて、行政を簡素化し能率を上げるというようなことは、うたい文句にとどまつて、結果においては却つて複雑な組織になるのが必定でしよう。これを考えると、これらの仕事は、却つて「地方」に吸いあげられるか、地方長の権限に吸いあげられてしまう可能性の方が多いのではないか。また、事務の性質からいつて、いわゆる広域行政の性格を持つた事務になると、市町村の区域の限界からいつても、到底、市町村にはおろせない。その結果は、これまた当然地方長の権限に属せしめられるか、せいぜいその「地方」の事務ということになつてしまう。結局、市町村におろせる仕事がどれだけあるのか、ここに根本的な問題があるのではないかと思う。そのことが、「事務」のところに、市町村にこういう仕事をおろすのだということを何一つ書けなかつた理由でしよう。もしそれをはつきりさせることができるようだつたら、「事務」のところにそれをはっきり書くべきだと思う。

林田　行政の運営の組織という面では、柳瀬くんの考えのように、今の府県行政を国の行政系統と地方団体の行政系統と、この二本建に分けるということが考えられるのではないかとおもいます。イギリスなどはそのような組織のように何かに書いてあつたのを見たような気がいたします。しかし、二つの系統を分けるには、実際上事務配分その他の点でいろいろむつかしい問題があるのではないでしようか。

鵜飼　この「地方」案によると、事務というものは、地方公共団体たる「地方」の事務、それから地方公共団体の機関である地方長に委任された国家事務、それから国の総合出先機関たる地方府の事務、それから残つた国の地方出先機関の事務、そういうふうになつているようにみえますが、そう分けられるのでしようか。

田中　いや、そうはならないんでしよう。この案を批判する人の多くが、必ずしもはつきり認識してないのではないかと思うのですが、地方長というのは国の総合出先機関です。その地方長の事務部局を一体として地方府という役所にするわけです。そして「地方」というのは憲法でいう地方公共団体ではないが、自治体たる性格を持つた団体です。そして地方長は国の総合出先機関であるとともに、「地方」の執行機関でもあるということにしているのです。従つて事務の性質からすると、国の機関としての地方長が所管する国の事務と、「地方」という自治体の自治事務とが、観念上には分れることになるのでしよう。その中間に、いわゆる機関委任事務というものは考えられないのでしよう。

鵜飼　答申のなかで「国の地方出先機関のうちその処理する事務を『地方』又はその機関に移譲することができないものは原則として『地方府』に統合すること」といつているのはどういう意味ですか、非常に複雑怪奇なものですね。

田中　それは表現が不正確なんでしよう。機関委任ということも、経費予算の関係などからいつて全然考えられないことはないでしようが、それを区別する意味はないでしよう。いよいよ複雑怪奇になるでしようから。

柳瀬　地方府は国の機関なんだから機関委任事務というものは、出てくる余地がないと思う。

鵜飼　それはたしかにあり得ないね。

柳瀬　あり得ないもんだよ。

田中　国の総合出先機関が同時に「地方」の長になるという考え方でこの案ができているわけです。この案で非常に問題だと思われるのは、この案によれば、警察行政とか教育行政とかが、大体、国家事務と考えられ、地方長の所管に属する行政として行われることを予想していることです。若しそうなると、もとの府県知事の権限よりは、区域が広くなるだけでなしに、国の出先機関の殆どすべてを統合しようというのですから、統合される事務は極めて広汎にわたることになる、殊に警察とか教育行政といつたものをみんな吸い上げて、国の総合出先機関としての地方長の責任で処理させることになる。従つて地方長の権力はいまだかつて例を見ないほど強大なものになるだろう。もちろんこういうものができたから、中央の各省庁が自分のもつている執行的権限を全部地方長にまかせるということとはしないでしよう。今もつている重要な仕事は全部自分のところで握つていることになるでしようが、かりにそうであるとしても、総合出先機関としての地方長の権力は絶大なものになる。そしてそれをどこでコントロールするかというと、国会はこれに対して発言することになるでしようが、「地方」の議会は、国の総合出先機関としての地方長の権限に属する事務については、これを批判する権限は全然持つてない。地方住民の意向は、地方長の行政については全然かえりみられないわけです。地方案が成立すると、こういう意味での地方長の権限とされるものはふえるでしよう。しかし、「地方」の権限として残される仕事というのはどんなものか、殆ど大したものはないのではないかと思われる。従つて、議会を設けてみても議会の関与する余地は甚だ狭いものにならざるを得ないのではないか、このことが第一の問題だとおもいます。

それほど強力な総合出先機関ができ、そのもとに現在の府県の区域に支分庁が置かれることになる。この支分庁については、もちろん民主的統制の機関というものは何もないわけです。その強力な支配下に市町村を置こうというのですから、市町村の自治が果して充実されるか甚だ疑わしいものです。すべての点において、国家中心の見地から行政をやろうという体制であるのに、市町村だけがどうして地方自活を充実発展することができるのか。私は、憲法論その他法律論としていろいろの問題があると思いますが、そんなことを論ずる前に、実質的にみて、地方自治がこれで充実強化されるというようなことを言うのは全く欺瞞であり、市町村側は、ほんとうに市町村自治が充実されると考えているのだろうかと不思議でならないのです。

鵜飼　「地方」の事務ならば「地方」の機関たる議会が監督できる、国の事務に関する限りは地方長の手によつて議会の監督なしに処理することができる。ところが、逆に、「地方」の事務であつても、事情によつては、内閣総理大臣が直接に監督することができる。そういうことですね。職務上の義務に違反して事務を行うことができないということの解釈の問題ですが、いずれにしても、非常に国が強くて、地方が弱いということになりますね。

田中　そうです。

柳瀬　今の田中くんのお説は、批判としてはごもつともなんだが、そこはしかし、事務の分配を変更すれば防げる問題ではないですか。

田中　ある程度はね。「地方」に移譲するということによつて。

柳瀬　それより、逆に、「地方」の事務を非常に多くして、そして国の機関としての地方長の権限を狭くするという方法をとればどうだ。

田中　そうすることができれば、私の言つた批判の半分は当らないことになる。ところが、自治体にそういう仕事をやらせることは困る、ということから出発してこういう構想になつている。尤も、完全自治体でなければいいというかも知れませんが。しかし、一般に、国が責任をもつてやるべきだという考え方が非常に強い。必ずしもセクショナリズムとはいわないが、少くとも国が責任をもつてやり得る体制の方がうまくいくと考えている。こういう考え方は根強いものです。もちろん「地方」にまかした場合にも、地方長は場合によつては罷免もできるから、「地方」にまかしておいてもいいという考え方が幾らか出てくるかもしれない。しかし「地方」案の考え方を貫いているものからすれば、現在府県でやっている仕事、ことに現在府県知事が国の機関としてやっている仕事を「地方」の権能にして、そして「地方」の議会の批判を受けながらやらせるというやり方をするはずがない。また農林省の出先機関、通産省の出先機関、その他各省庁の出先機関で現在やってる仕事を、「地方」にまかせるということはとうてい考えられない。

そこで、総合的に行政をやっていこうというねらいからすれば、どうしても地方長の権限に属せしめることになることは必然的だろうと思う。柳瀬くんの言われるような事務の配分ができれば、その場合はある程度議会がコントロールするという問題が出てくる。ところが、議会がコントロールするというのなら、その議会の構成についてもつと考えなくてはならない。この案では、「議員の定数は、四十人から百二十人までの範囲内において」ということになつている。この案ができてきたときに、当該地方の区域に配分される国会議員の数がいくらになるのか、国会議員の数よりも少い議員定数を定めるということは、筋としても、おかしいのではないかと言つたのですが、これはほんとうにおかしいとおもう。その地域から出る国会議員の数が、たとえば関東「地方」を頭に置いて考えると、百三十何名。ところが、「地方」の議会には最高百二十人の議員より出てこない。そうすると、その「地方」における意思は、国会議員によつてより多く代表され、そうして「地方」議会においてはそれほどに現われてこないということになる。これは、そもそも「地方」に議会を置くという観点からすればおかしいのではないか。それは形の上だけで議会を設けて、自治体としての体裁を整えようとしているに過ぎない、というふうにいわれても仕方がないようにも思う。民意をそこに代表させ、議会によつて行政をコントロールさせようとか、長をコントロールしていこうという考え方をとつてるわけではない、ということを端的に現わしているのではないかとおもうのです。

七 「地方」と市町村との関係

俵 確かに、そこに今度の答申の大きな抜け穴というか、ごまかしがあるんですね。現在の府県を廃止して新しく「地方」を作る、その場合、現在府県が行つている仕事のどれだけが市町村に移されるのか、そしてどれだけが「地方」の方に移るのか、またこれに伴つて現在の府県の財源がどのようになるのか、市町村の財政需要の増大に対してどのような財源が与えられるのか、そうした実質的な内容がまずきまつてから、仕事を盛る器に相当する区域とか、仕事を行う組織の問題が出てくるはずのものです。ところが、答申では、こうした内容の問題には全然触れないで、現在の府県とはかなり構想を異にした「地方」の区域や組織の問題だけがとりあげられている。

また、「地方」に議会を置くとしながら、議会の権限がどこまで及ぶのかについては何も触れていない。おそらく、現在の市町村の議会や府県の議会とはかなり変つたものになるだろうとおもわれるが、そういう点が全然無視されている。こういう大事な問題を、ただ時間がないので別途考慮するというのでは、答申の意味はない。そういうものを何故急いで作らねばならなかつたかを疑いたくなる。市町村としては、府県を廃止したら、その権限と財源が相当ころがり込んでくるのではないかと考えているかもしれないでしょうが、実際にそううまくゆくものでしょうか。現在府県の処理している事務のうちで、実際に市町村に移譲できるものとしては、たとえばどんなものが考えられるのでしよう。高田くんいかがですか。

高田 私は、「地方」案の基本方針について考えますことは、一番重要な問題についての認識が前提になるわけですが、それが間違つているのではないかとおもうのです。その点は、先ほど原先生が言われましたように、町村合併によつて現在の市町村が非常な充実をみてきたということが、今度の「地方」案の大きな前提になつているのですね。従つて、市町村を育成していけば、地方自治全体としては非常に向上するんだ、ということにあるようにおもうのですが、町村合併が進んできておりますけれども、答申に表現されているような現実の認識というものが、果してあり得るかどうかということだとおもいます。少くとも、何十年か先は別といたしまして、ここ当分の間は、答申が考えているような市町村の実力を前提として「地方」案というものを実施することが、果して地方自治の伸張になるだろうかということと、もう一つは、現在の府県の事務を現在の市町村にどのくらいおろし得るかということになりますと、必要な財源を与えれば市町村が行いうるというようなことはありましても、これは財政的な問題だけではなしに、現在の市町村に現在の府県の事務をおろすにしても、それは非常に少いのではないかとおもうわけです。

それからもう一つ、かりに「地方」案が実施されるという場合に、市町村自治が今よりも非常に伸張することができるかどうかということにつきましては、先ほどからお話のございましたように、現在の府県が非常に市町村の発展に害を与えているということなのですが、これはいろいろなほかの要素もあるとおもいますけれども、一つは、市町村に対して府県が干渉するとか、そういつた点を強調している面も相当あるのではないかというふうにおもいます。そういう点からみますと、今度の「地方」案では、地方府は非常に強力な国家機関になるわけであります。また支分庁は「地方」の議会の制約を何ら受けない、かつての郡長を強力にしたようなものができるわけでございますから、そういうことが、市町村側からみて、ことに弱小の市町村側からみて、決して自治の伸張にはならない、なるはずがないというふうにおもいます。

ですから、私は、この案で現行の府県制度を改革するという場合、その前提になつている市町村の能力というものが、間違つた認識のもとに考えられているので、そういう「地方」案というものは、われわれとしては賛成できるような内容のものではないというようにおもいます。従つて、今、府県の事務がどのくらい市町村に移されるかというお話がございましたけれども、現実の市町村に対してどのような事務をおろすかということは、今言える段階ではないようにおもいます。

俵 具体的には、社会福祉に関する事務、保健衛生に関する事務、農業改良及び植物防疫に関する事務、建築基準に関する事務が、市町村に移譲するものとして検討することになつているようですが。

高田 私は、前に経済部長をやつておりましたが、農業改良の事務を、市町村よりもむしろ府県で処理しております一番大きな理由は、植物防疫にしてもそうですが、これは試験場との関係からなのです。ですから、市町村が試験場を持ち得るかどうかということ、それから市町村の組合で試験場をかりに作るとしましても、果してそういう試験場が維持できるかどうか、またあるいは今度の「地方」というものが試験場を持つのかどうかはわかりませんが、農業改良にしても植物防疫にしても、意味を広くとりますと、市町村でやつていける事務もあるとおもいますが、農業改良の事務を府県の事務とした趣旨は農業改良を試験と結びつけてやるべきだというところにあつたのですから、そういう点から考えますと、現在のような制度でゆくべきではないかというふうにおもいます。

播磨　事務移譲の問題は、御承知のように、大都市の特例が設けられたときに、われわれはああいう事務を大都市に移譲するくらいなら、むしろ一般の市町村にも移譲したらどうかという考え方をもつていたわけです。ところが市町村長あたりの考え方では、特に大都市だけにある事務を移譲すればいいので、一般市町村にまで事務をおろせというような考え方は、その当時なかつたわけです。だから、大都市だけに十六項目に限つて移譲したいきさつからいつても、直ちに市町村に事務が移譲されるということは考えられない。

しかしながら、本来、事務移譲というのはすべての市町村に移譲すべきもので、その結果能力の足りないところは府県が補完していく、そうすることにより、市町村ができるだけその事務についても努力していく、努力して、どうしても力の及ばないところを府県が補完していくのが筋であるというふうに私は考えていたのです。ところが実際には、十六項目の事務に限つて、しかも大都市だけにしか移譲できなかつたといういきさつを考えてみても、一般の市町村に対する事務移譲にはそう大きな期待はもてないということは断言できるとおもうんですね。

高田　先ほど、たまたま農業改良の例をとつたわけですが、これも考え方によるのですね。それは現在、専門技術員と普及員と二段階に分れておりますが、専門技術員だけを府県がもつて、あとの一部を市町村がもつということも考えられるとおもうのです。しかしこれも市町村の能力の問題として、いろいろ実際上の問題が残る。普及員を適材適所に置くには、若干配置転換をやらなければならない。それから、普及員がほかの仕事に手をとられてしまつて技術改良に専念できないとか、いろいろな問題がございます。けれども、考え方としましては、これは考えられる問題だとおもいます。しかしそれが現実にいいかどうかということは、ほかの要素が入つて参りますから、それは別の問題になるとおもうのです。

俵　そこで、府県を廃止した場合、かりに相当量の事務が市町村に移譲されるとしますと、当然市町村の財政需要は急激に膨張することになるわけですが、府県の財政のアンバランスがはなはだしいということが府県廃止の一つの理由とされているのに、おそらく、今の府県の財政のアンバランス以上に、市町村の財政にアンバランスが出てくるのではないでしようか。そういう財政上の問題は別としましても、今日の合併後日の浅い新町村の行政能力をもつてはたして対処してゆけるものでしようか。そういう点は、どうお考えですか。

高田　合併市町村といいましても、新市の中には人口が三万数千ぐらいの市があるというような状態、また町村になりますとそれまでにも至つていないような状況からみますと、やはり職員の数にも限界があつて、専門的な職員の配置が非常にむつかしいのじやないかという感じがいたします。

それから、財政面から申しますと、現在の市町村財政というのは固定資産税等の比較的安定した税源をもつておりますから、今位の程度であれば、府県に比べて財政のアンバランスは、総体的には、少いかもしれませんが、たとえば府県の税源を市町村に移すという格好で市町村の自主財源を強化することになれば、これは現在の府県の財政のアンバランスよりは、はるかに大きなアンバランスになつてくるということも考えられます。まあ、事務をおろす、それに見合う財源をどうするかということは非常にむつかしい問題ではないかという考え方をもつております。

俵　答申は、そうした事務、財源などの配分については考えなかつたのですね。

田中　そういう具体的な問題は、いちいちとりあげる必要がないという考え方だつたのです。私は、具体的に検討してそれを案の中に盛るべきではないかと言つていたのですが、そんなことをするひまもなかつたし、また、そういうこまかな問題まで立ち入つて答申の内容に盛る必要はない、というのが、委員会の多数の意見でした。

今度の地方制度調査会の総会で、市長会、市議会議長会、全国町村会、この三団体の代表者が、「地方」案を支持し、むしろ先頭に立つてこれを主張したわけです。最後の段階では若干条件をつけたり、あとでもお話が出るとおもいますが、案の本質に反対するような修正的な意見を述べたりした人も出てきたのですが、とにかく三団体が強力にこの案を支持し、これを通したという結果になつたわけです。ただ、町村議会議長会はこれに反対して、統合案を支持しましたが、他の三団体に対する関係上、ちよつと苦しかつたのではないかとおもいます。三団体が地方案を支持した主な理由として想像されるのは、一つは今まで市町村にとつては、府県は何かとうるさいことを言つて、やりたいことをやらさないという意味において「目の上のこぶ」的な存在であるという気持、監督をのがれることによつて市町村が自由にできるという期待、もう一つは、府県が廃止されれば、現在府県のやつている事務を自分のところへもらえるだろうし、それに伴う財源もころげこんでくるだろう、そうなれば自治体としては大いに発展ができるという甘い夢を描いているのでしよう。

ところが、この案を貫いている根本の考え方は、言葉の上には市町村を育成強化するということを言つているのですが、そもそもは、国の立場から行政を能率的経済的にやつていこうという考え方なのです。現在の府県制度にいろいろ欠陥があり、運営上に弊害があることは、私も認めるのですが、それと同じことが、その立場から見れば、市町村の現在の制度の中にも、運営の中にも、弊害として現われてきている。その市町村の自治を、そのまま育成しようという考え方につながつてくるわけはないんです。ですから、今まで、府県ならある程度仕事ができるからまかせようということはあつても、市町村に対しては国が仕事を与えたくないというのが、むしろ中央官庁の考え方だつたとおもいます。現に市町村のやつてる仕事の中でも、警察は別問題としても、ほかの行政、たとえば厚生省所管の行政などについても、むしろ府県又は国の方へ吸い上げようとしているくらいで、この考え方こそ、むしろ主流として流れている。それを、仕事やこれに必要な財源がころげ込み、広汎な仕事を豊かな財源で自由にできるようになると考えるのは、そもそも計算違いではないかという感じがするのです。確かに、府県が市町村にうるさく文句をつけたり、実質的に監督的な行為をしてきたということともあるでしよう。しかし自治体としての府県と市町村とは、現在の制度のもとでは別に上下監督の関係にあるわけではない。府県が市町村に対して監督している面があるとすれば、国の機関としての府県知事が、国の機関としての市町村長を監督するという場合が多いのであつて、それが府県職員の市町村職員に対する関係においてなされるために、府県があたかもその監督権をもつているように考えられて来たわけですが、自治体としては、相互に上下、監督の関係があるのではないのです。ところが、まさにその監督の面においては、今度は「地方」府という強力な組織ができ、地方長という今までかつてなかつたような強力な総合出先機関ができて、更にその下に何ら民主的コントロールを受ける余地のない支分庁が、直接市町村に対する監督機関としての仕事をしていくことになるわけです。これを従来の府県に比べれば、民主的コントロールを受ける余地がないという点からいつても、また常に国の方を向いて行政をやつていくという態度になることが当然予測されるという点からいつても、市町村に対する風当りが強くこそなれ、弱くなるということはとうてい期待できないと思う。仕事はふえない、財源ももらえない、監督は今までよりも一そう強力な形において行われるようになる。それがまさにこの改革案を貫く基本的な考え方でないかとおもいます。

いつかも、荻田保さんがこういうことを言つておられた。少々品の悪い比喩なんですが、私は、適切な批評ではないかと思う。こういうのです。今、市町村の考えてる考え方は、婦人は、一般に同性の医者の診察を受けたがらない。診察を受けるなら異性の医者の方がよいと考えるらしい。市町村の現在の気持は、市町村は完全自治体であり、府県も完全自治体である。だから同性にめんどうをみてもらいたくない、異性ならいいというようだが、こんな馬鹿な話はない、というのです。市町村には、何か感情的に、そういつた気持があるのかもしれない。しかし異性たる国家機関の監督干渉なら甘んじて受けようというところに、地方自治をはき違えたとんでもない間違いがあるのではないかという感じがするのです。

市町村に対して府県の立場からとやかく言う場合に、時には、全くよけいなことを言つてるという面もないではないのでしよう。しかし、私は、市町村の立場でものを考える場合と、市町村を包括する広域団体としての府県の立場で考える場合とでは、町村合併の問題一つを考えてすら、おのずから考え方が違い、結論が違うということはあつてしかるべきことである。そういう考え方の違いがあつてしかるべきだからこそ、市町村の廃置分合・境界変更等について府県知事が府県議会の議決を経て定めることにしているので、そこに合理性があるのだともいえる。市町村が自分のやりたいことを自由にやれないから、府県はけしからんというのでは、そもそも制度そのものの根本の趣旨を理解していないといわなければならない。中にはよけいなことを言つてる場合もあるでしよう、大いに府県として反省しなくてはならない面もあるとおもいますが、意見が違うから府県が悪いときめてかかるわけにはいかない。むしろそういう点を充分に突つ込んで検討しないで、府県はよけいなことを言つて市町村の発展を阻害していると決めてかかり、だからこれを廃止すべきだというような結論を出すのは根本的な誤りを犯していると言わざるを得ないとおもうのです。

播磨　そうですね。今日では、以前と較べて市町村が府県によけいなことを言うなと言えるようになつただけよくなつた。そこに今日の府県と市町村の関係があるとおもうのですよ。府県が市町村にとつてよけいなことをおもわれることを言う、それで両者の調整が行われるのです。そこに新しい協力関係があるのではないかとおもうのです。たんに一方的に押しつけてしまうということは、現在の府県ではよほどのことでなければできませんからね。

鵜飼 現在の市町村は、府県によつて育成強化されたということですね。

播磨 官選の知事であれば、市町村はものをよう言わないですね。たとえば、地方長官時代には、市町村長が役所へ入つてきたら、一番に地方課長の目の色を見ていたのです。今日ではそんなことは少しもない、いいたいこともいつて喧々がくがくの対等の議論をして、そうしてそこでいろいろ調整が行われている、これが現状なのです。市町村が府県によけいなことをいうなといえるようになつただけ、私はよくなつたとおもいますがね。

俵 そういう意味で、地方長官時代に官選の知事が市町村なり府県民に臨んだ態度と、今日の公選知事が市町村なり府県民に対する態度とでは、よほど変つていますね。今日でも農山村にゆくと、小学校の応接間に県官室という札がかかつているのをみることがあります。知事が地方長官といわれた時、町村に対して県官がいかににらみをきかしたかということを偲ばせるものがあります。ですから、今日府県は市町村に対してなお監督官庁的だということを市町村がいうのですが、これは機関委任の関係についてであるにしても、それでもやはり公選知事が町村に臨む場合は、官選知事の場合に比べて風当りも非常に違つてきているわけです。この意味において、たしかに府県は中央集権の防波堤としての役割をはたしているといえるでしょう。しかし、市町村としては府県に監督されるよりは、直接国に監督される方がいいという気持があるのですかね。これはおかしいとおもうのですが。

播磨　答申の「基本方針」のところで、「国と地方公共団体とが協力しつつ、このような行政上の要求を充たすことがますます必要とされるようになつてきた」、こう書いてあるのです。ところが、府県を廃止してしまつたら、国と市町村との協力はなくなるのです、国の一方的押しつけですからね。私は、国と市町村の協力関係というのは、知事が公選になつて、非常にいい意味において新しい協力関係がはじめて生まれたのではないか、こういうふうにみています、たとえば米の供出問題ですね、公選知事になつてから、割当を受けるときには、知事は中央に値切りに行きますよ、理屈も言います。しかし一たん府県の供出量がきまつたら、そのときはもう、知事があれだけがんばつてくれて、あれだけ努力してきまつたことだからということで、住民も納得してくれるのです。これが、私は新しい協力関係ではないかとおもうのです。知事が一たん引き受けたものは住民を納得させて完遂しますからね、押しつけではないのですね。

高田　米の供出で、私もちよつとお話したいとおもいますが、私はかつての官選知事の時代にも、それから公選になつてからも、米の供出の仕事をやつてきたのですが、その二つの場合を比較してみますと、おそらく、官選時代の知事であればきまるのは早くきまりましたし、また出すのも早く出したでしよう。しかしその場合には非常に大きな問題があとに残る。というのは、結局、完全にとりあげられるという形において行われるからだとおもいます。知事が、公選になつてから、私、ずつと米の供出に当りましたが、とにかくきまるまでずいぶん苦労をしております。府県知事も苦労をしたし、市町村も苦労をしておりますが、しかし知事の苦労というものは、結局、押しつけられてそれをやるという苦労でなしに、受けるまでの苦労、それからまたそれをいかにして分けるかという苦労、両面を通じて非常な苦労をしたものです。これは結局、官選知事でないというところに、そういう配慮が行われ、また苦労もする。従つてそういう場合には、供出のあとの形というものは、苦しかつたにしろ、残つた弊害というものは官選知事の場合より少いのではないか。米の割当量が絶対量で多いということによつて苦しむということは別にしまして、同じ量を官選知事でやつたのと民選知事でやつたのとでは、事務の適正という点で非常な違いがあるのではないかというふうにおもいます。

田上 今の問題と関連するのですが、事務再配分の問題は、府県と市町村の関係だけではなくて、国と都道府県の関係もあるとおもうのです。その場合、われわれの大体の考え方としては、府県の事務を市町村に移すということにあつたとおもいます。そういう点でわれわれも大いに主張してきたわけですけれども、最近というか、これまでのところでは、そういう再配分ということは実現が非常に困難である。そういう点に今度の「地方」案は何も触れていません。たとえば地方長の官選というふうなことも、一つには、国の出先機関を統合するためには、地方公務員ではおかしいというふうな理屈からでたように思うのですが、現在では、府県に国の事務をさらに相当量移譲するということはむつかしい、実際には相当困難がある。そういう点で、先ほども総務部長が言われましたが、一つは、確かに市町村の合併によりまして、市町村はもはや府県の補完を必要としなくなつたという前提です。

しかし、この前提は実情に合わないように思います。それからもう一つは、地方長が官選の長でありますため、その意味で「地方」と国との関係が非常に緊密になり、もつと率直に言えば、国が監督しやすいということによつて、中央の方で安んじて国の事務を移すことができるかという点であります。しかしこれは、先ほどお話があつたように、どうも結果においてはかつての地方長官のようなものが国の事務を行うだけであつて、自治体としての「地方」にどの程度に国の事務が移るのか、これはもちろん完全な自治体である府県の場合よりはよほど簡単になりそうに思うのです。しかし、全体としてみてどうも、「地方」という団体ではなくて、むしろ地方長が大体その事務を行うことになるでしょう。そうだとすると一向問題の解決にはならない、「地方」に対する国の事務の移譲ということも期待されるような効果が考えられないと思います。こういう意味において、この「地方」案は国と地方との事務配分という点でも、プラスにならない。しかしそうかといつて、統合案の方も問題でございます。やはり、私としては現状以上によい制度に改革するという知恵は出てこないように考えているのであります。

八　「地方」制と行政の経済化

田中　今のお話の点ですが、地方案を立案した人たちの考えでは、現在の府県に国の事務を移譲しようといつても、言う方が無理だ、また現在の府県に国の出先機関を統合しろといつても、それはできない相談だ、やはり受入態勢を整えなくてはならない、そのためには、国の総合出先機関となることができるような機関にする必要がある。そういう意味で地方長というものを考えるべきだ、地方長を国の総合出先機関として設けるなら、現在の各省庁の出先機関をそれに統合することができ、その限りにおいて行政の総合的な運営ができるようになる、こういう考え方なのです。完全自治体であり公選知事だから事務の移譲や機関の統合ができないということを、当然の前提としているわけです。そこに、私は、問題があるのではないかと思うのですが、それはしばらく別問題としましよう。

そこで一歩退いて、地方長という国の出先機関を設けることによつて、国の出先機関を全部そこへ統合することができるであろうか、これが問題です。地方長というものの人事権を誰が握るかということにも関連してくるのですが、かりに今の自治庁なり今問題になつている内政省なりが実質的な人事権をもつというようなことにでもなると、大蔵省、通産省、農林省、建設省というようなところが、自分の出先機関を全部そこへ統合して黙つているだろうか、そんなことは、今の政治情勢のもとでは、とうてい期待できない。そうしますと、結局、農林関係の人の人事権は農林省が握る、建設関係の人の人事権は建設省が握る、そういうものがそこへ集まつてくるにすぎない。うまくいつた場合がこういう形で地方長のもとに各省の出先機関を一緒に集めることができるだけで、しかも、幹部は少くともひもつき人事であり、ひもつき行政をやつていくことになる。こういうことになつては、地方長のもとに総合行政や能率的な行政の運営が果して期待できるだろうかという疑問が生じてくるわけです。

そしてまた、そういう形で統合されたからといつて、農林省が現在自らの手でやつてる仕事を地方長の権限に移すだろうか、通産省で現に決定権を持つてる仕事を、その出先機関の地方長の権限として移すだろうか、こんなことはとうてい期待できないのではないかと思う。ですから、総合行政というようなことを言い、また、民間出身の人が、東京へ行かなくても地元で解決できるようになれば、その方がずつと迅速に事務が処理されて都合がいいと言うのですが、地元で万事処理され解決されるということはとうてい期待できないとおもうのです。また、かりにそこで処理されるようになるとして、一体、七つ乃至九つのブロック単位に置かれる地方府が、どの県から行つても非常に便利な土地に置かれることになるかというと、これもまた非常に問題でしよう。交通機関は非常に発達したといわれます。たしかに札幌や福岡から東京へくるのに三時間でこられるようになつた。しかし地方的には昔とそうは変つていない。かりに新潟が東北地方に入るとして、新潟から仙台へ行くのには、東京へ来るのに比べて、むしろ不便でしよう。その区域内で非常に合理的に事務が処理されると仮定しても、必ずしもそれは便利になるとも限らない。むしろ東京へ出た方が早いということもある。ことに、この案の考えているように「地方」で最終的な決定がなされないというようなことになれば、ちようど地方事務所があつてかえつて不便だというのと同じ状態を惹き起すことになるのではないかとおもう。市町村の立場からすると、まず支分庁に行き、次に地方府に行き、更に中央にくるという三重の手続を経なければならないことになる。将来もどうしても地方交付税というようなものが残るでしようが、地方交付税を、東北「地方」、関東「地方」、中国・四国「地方」というふうに、大まかに「地方」に配分し、市町村に対する配分を「地方」に委すようなことができるか、そんなことはとうていできないでしようね。結局最終の決定は、中央が行うことになり、東京へこなくては片づかないということになる。従つて、この案の狙うもう一つの重要なポイントである行政の能率化という見地及び経費の節約、行政の経済化という見地からいつても、この制度では、能率的・経済的に仕事を処理していく態勢にはならない、という感じがしてならないのです。

播磨 答申の「基本方針」のところで、「国民負担の軽減を図る」ということがあげられていますね。この点を大阪の経済界方面の人たちは、府県廃止論の一つの根拠にしているように見受けられるのです。ところが、この間、ある委員会で財政に明るいと言われている松隈さんが、府県の財政を批評して、こういうことを言われたのです。府県の財政の中で、消費的経費がだんだん増大している、府県というのはそういう消費団体で、まことに役に立たない、というような意味のことをいわれたとおもうのです。ところが、府県の財政の内容の分析もしないで、そういうことを松隈さんともあろう人が言われたので、私は心外に思つたのです。すなわち、府県の財政の消費的部面の一番大きな部分を占めているものは、教職員の給料と警察職員の給料、これはもう絶対的なものなんです。ベース改訂がなくても、年々自然昇給が行われているのです。しかも府県の財政そのものは、それに伴つて膨張をしていない。だから、消費的経費の部分が、パーセンテージにしてだんだん上昇していることは当然なのです。そういうことを少しも考えないで、ああいう言い方をされるということは非常に遺憾だと思つているのです。

そこで「地方」を置くことによつてほんとうに国民負担の軽減ができるかどうかということを充分に御検討願いたいと思うのです。なるほど、府県が廃止されて一つの地方府という役所に統合された場合に、この部分においてある程度の経費の節減はできるでしょう。しかし、先ほど田中先生がおつしやつたように、今度は市町村へ事務を移す、市町村へどんどん事務を移したら、今まで府県単位に一つで済んでたいろいろな施設が、市町村ごとにできる、あるいはこれを市町村が組合でやるということになりますと、たくさんいろいろな市町村組合ができる。市町村組合というのは、御承知のように、管理者も必要なら、組合を組織する事務のための事務員も必要です。さらに審議機関たる組合会という議会が必要になつてきます。こんなものが二十も三十もできてくると、これは数が多いのですから、市町村の段階では非常に経費が増大してくる。そういうようなことになれば今の府県を廃止して「地方」ができた、その程度の経費の節約では背負い切れないことになるのではないか。逆に国民負担の増大をきたすような結果になるのではないか。高田部長も言われましたように、たとえば農事試験場を、今、大体府県が一つでやつている。それを中心にしていろいろ農事指導をしているのですが、これからは各町村に農事試験場を置くといつてみたところで、満足なものはできないだろうし、それなら組合でやるといつた場合に、これは、どういうことになるでしょう。えらいことになりはしないかとおもいます。そういうことを考えないで、国民負担が軽減するように言つているのですが、この点は、よほど掘り下げて御検討を願つたらいいのではないかとおもうのです。これは非常にむつかしい問題ですが、私は、経費の節減にならないで、逆に、非常な金がかかるようになる、そういうふうに考えているのです。

田中　第一に、今の府県の機構は、若干縮小されるのかもしれません。また、府県議会もなくなります。しかし、府県庁がなくなるわけではなく、支分庁という形で残るわけです。その仕事の内容も、相当広汎にわたり、大きな組織でなくては、やつていけないことになるでしよう。ですから、議会はなくなるけれども、大体今の府県の組織に近いものが残ると考えなければならない。

のみならず、その上にもう一つ大きな組織を作ることになるのです。その面だけからいつても、決して節約にはならないのではないか。議会がなくなるということを、三好さんも説明されていましたが、議会の経費は現在の府県の経費の中でいえば、そう大した額ではない。最も民主的な要素の強いところをなくすることによつて経費を節約する、それが今後の正しい行き方だというのなら、同じ論理で国会廃止論まで飛び出してこないとも限らない。こういう議論は成り立たないとおもうのです。また、仕事を市町村に移せば、今の市町村の財政規模が大きくなるし、そちらで金がかかることは当然の結果でしよう。組合を作つてやるとなれば、組織は複雑になつて、金の節約にはならないという面も出てくるとおもいます。

九 「地方」制における区域の考え方

俵 それでは、次に、「第二」の「都道府県制度改革の具体的方策」の内容に入つていただきたいと思います。この方策の中で大きな特色の一つは、府県を廃止して、そのかわりに国と市町村との間に置かれる中間団体としての「地方」の区域にあるわけです。現在の府県の区域につきましては、それが明治時代のままだから今日としては時代おくれになつているということ、町村合併で町村が大きくなつた結果として、今日の府県は町村がかぶる帽子としては小さくなり過ぎたこと、さらに府県間の財政力のアンバランスのため全国的な府県行政の水準を維持することが困難になつていること、こういつた事情から、今日の府県の区域は狭過ぎるということは一般に承認されていたところですが、さて、それならばそれをどのくらいひろげればよいかということになりますと、先ほど田中君のお話では、調査会は事務配分などの問題にまではいつてゆく必要はないというような考え方のようでありましたけれども、私は、むしろ実質がきまらなければ区域の問題は定められない、具体的にどういう仕事をどういうしかたで行うのか、それがきまらなければ区域の範囲もきめえないのではないかとおもうのです。区域をどういうふうにきめるのが一番合理的かということは、いろいろ御意見もあると思いますが、やはり住民の生活圏、経済圏というふうな観点からとさらに行政機能との関連という基準にもとづいて定めるべき問題だろうと考えるのです。答申も、「地方」の区域は、自然的、社会的、経済的、文化的諸条件を総合的に勘案して、全国を七乃至九ブロックに区分した区域によることとしているのですが、これをたとえば近畿地方についてみると、福井から、滋賀、京都、奈良、大阪、和歌山、兵庫の各府県が一の地方の区域とされています。しかし兵庫県の住民と福井県の住民の間において、実際に経済、産業、行政等の面で、はたしてどれだけのつながりがあるでしようか。そういう所が一つになつたとしても、一般住民が「地方」の行政にどの程度の関心を示せるのか、また行政機能の点からいつても、福井と兵庫、和歌山を一緒にした方がいいというどれだけの事情があるのか、ともかく一応自治体としての性格を有するものとされている「地方」の区域をこういうふうに定めたことは、一体どういう根拠から割り出されたものでしょうか。

田中 初めに、先ほどお話した点で足りない点がありますから、ちよつと補足的に申し上げたいと思います。

私どもの統合案を立てる際には、考え方の順序として、国が国全体の見地から計画を立てて一定の水準の行政を確保していかなければならない、いわゆる国の事務というものがあり、それに対して、各地方で民意を反映しながらやつていくにふさわしい仕事というものが区別できる。そういう地方的な仕事の中に、住民の日常生活に直結した事務で、住民に対する日常のサービスをやつていくというような仕事は、市町村にやらせればいい。しかし治山治水その他の国土の保全とか、総合開発とか、災害防除とか、その他広域にわたつて処理していかなくてはならないような仕事――そういうものの中には国がやつていい仕事もあるでしようが――は、地方の民意を反映しながら、地方の実情に即してやつていくのにふさわしい仕事ということができる。そういう仕事の内容を考え、その仕事を最も効果的に行うに適した区域を画していこう、という考え方があるわけです。そういう考えに基いて、区域を考えていこうというのが統合案のとつている態度です。ところが「地方」案の方の区域の定め方は、それとは違うのです。現在、国の出先機関が、大体ブロック単位に分れて存在している。その出先機関を統合するということが、地方案の一つの大きなねらいになつている。ですから、国の行政機関として行政を行うという点に主眼を置いて考える限り、区域の問題は、社会的な基礎というようなものと結びつけて考える必要は殆どないといつてもいいすぎではない。むしろ、もつぱら国の行政を行う便宜という見地から考えてゆけばよいということになる。尤も、つけたしにしろ、これを自治体にするということになると、社会的基礎というものがあるといわなければならないので、そういう理屈をつけているわけです。東京地方とか関東地方とかは、一般にも社会的に承認されており、また、そういう区域を単位として国の出先機関が設けられているとか、自分は九州人だとか四国生まれだということもいうし、地方案に反対する全国知事会でも、ブロックごとに会合をもっているではないかともいって、これを理論づけようとしているわけです。しかし、これはいわばあとからつけた理屈で、国の行政区画として考える限り、各省庁の出先機関がそれぞれ管轄区域を異にしているように、便宜に従って定めればよいということになるでしょう。ですから、ブロックを七つにしようが九つにしようが、その辺のところはどちらでも大して変りはないといってもいいのでしょう。従って、われわれの考え方とは出発点において違うわけで、その数が七つか九つか、それとも十五か十七かという程度の差の問題ではないのです。根本の考え方が違う。要するに、地方案は、国の総合出先機関をどういう地域に置いたらいいかを中心として考え、現在、国の出先機関がブロック単位に置かれているのだから、その区域にしたらいいだろう。それは社会的にも従来常識的に認められて来ているのでもあるから、と、こういう考え方なのでしょう。

ただ、繰りかえし申しますように、完全に行政区画にしてしまったのでは、地方自治を無視するように言われるから、それに自治体としての性格を認めることにしているのですが、それはもちろん憲法にいう「地方公共団体」ではない、特殊の地方団体に過ぎないわけです。国家的性格と地方団体としての性格をあわせ持たせるということを言ってるのですが、地方団体というのは、ただあとからくっつけて、カモフラージュしただけのものです。区域をきめる基準として、文字の上には、「自然的、社会的、経済的、文化的諸条件を総合的に勘案して」と言っていますけれど、現に参考案として出ているものによれば、人口二千五百万を超える関東「地方」もあれば、人口四百万程度の四国もある。そうすると相互の行財政能力のアンバランスは今よりも一そう大きいものになることも考えられる。その点に関し、三好さんは、現在の府県間に見られるようなひどいアンバランスはある程度除去されることになるという説明をしておられるのですが、それは単純な比率からすると、たとえば人口の面でいえば、東京都の人口九百万に対し、ある県では六十万ぐらいで、一五対一になっている例があるのに対し、今度は、かりに関東「地方」が二千六百万になつても、四国「地方」の四百万と比べれば僅か六倍にすぎない。従つてアンバランスが小さくなるというのです。租税の負担力についても同様の比較をしてアンバランスが小さくなるということをいわれるのです。なるほどパーセンティジだけでいえば、アンバランスが小さくなるという言い方もできるでしょう。しかし、このアンバランスは、相互の調整の極めて困難なアンバランスなのではないかと思われる。しかし、地方案の立場からすると、そういう問題は二の次、三の次の問題なのです。国の行政区画として、どうするのが一番便宜かという点から出発しているのですから、七つであつても、九つであつてもいいのでしよう。

俵 そういう考え方なら、「地方」に議会を置いて、住民の参加を求めるということはおかしいのではないでしようか。

田中　ですから、「地方」の事務が非常に多くなれば、「地方」の議会は重要な意味をもつ。もしそういう場合を考えると、議会というものをどういうふうに構成すべきかが、極めて大きな地域を基礎とするだけに、重要な問題になつて来るので、組織の面でもどのようにして民意を反映させるかが真剣に検討される必要があるわけです。近畿地方を例にとつて考えても、かりに百人の議員を置くとしたら、これは近畿地方全体から出ている国会議員の数よりも少いという変なことになる。地方の議会においてよりも国会の方により多くその地方を代表する議員が出るというのはおかしいので、別の間接選挙の方法とかいろいろ考えてみる余地がある筈です。そういうことも深くは検討されていないのですが、それは、議会というものを大いに尊重し重視するという考え方をしていないからでしよう。大きな区域の問題になれば国自身が考えればいい、国会自身が考えればいいという考え方とも結びつくので、ただ申しわけ的に置いているにすぎないのでしよう。

そもそも「地方」に残される仕事は大してないでしよう。従つて、固有財源を与え、それを充実するということを言つているけれども、今の財政力のアンバランスのもとで、固有財源を充実する方法はちよつと考えられない。どうしても財政調整でいくほかはないでしよう。

田上　そうおもいますね。国税局、地方建設局あるいは財務局にしても、多いもので十ぐらい、少いものは五つ、七つ、八つぐらいと思いますから、現状においては、「地方」の実体といいますか、実質ができている。先ほど田中くんの言われたように、議会は「地方」の機構の花形なんですが、ここに「区域」というのが出ていましても、これは結果としてこういう説明がついたというだけであつて、結論はすでにもう現状でできているのではないかという感じがします。

原　「地方」制案の区域の定め方といいますものに、根本的に疑問をもつというよりは、こういう考え方には絶対に反対です。やはり区域を定める標準としては、先ほどお話のありましたように、まず仕事がきまつて、その仕事を処理するにふさわしい、能率的に、あるいは経済的に処理するにふさわしい区域ということが第一の基準でなければならない。それからもう一つは、民主的に統制を加えることのできる範囲、この二つが基準にならなければならない。ところが、「地方」の処理する事務というのが一向明瞭でないし、また答申によりますと、今まで府県がもつていた事務を市町村に移譲するとありますから、今までよりも事務が縮小するということも考えられます。しかも、これは「地方」の性格とも関係して参りますが、地方公共団体としての性格と国家的性格をあわせ有する、いかにも半官半治というのか、地方団体としての性格も半分あるように書いていますけれども、これは全くカモフラージュで、地方団体の自治事務はほとんどないようでありますし、首長は官選になるし、それから委員会制度はというと、「執行機関たる行政委員会は置かないこと」ということでありますし、非常に国家的要素が強い。そういう意味から、こういう広域的な団体では、民主的統制を加える余地がほとんどない。この区域の定め方そのものに非常に疑問があるとおもうのです。

田中　この議会が、ほんとうに民意を代表し「地方」の行政をコントロールする機関になるかというと、そうではなくて、結局「地方」における予算の争奪戦をする機関になつてしまいはしないかという心配もあります。

俵　そうですね。

田中　次に、地方案の支持者が地方案の統合案と違う点として強く主張した点は、統合案に実現性がない、市町村合併の問題でさえあれだけすつたもんだをやつているのだから、府県の統合などということは、とてもできない、統合案では、実益がないだけでなく、実現性がないというのです。しかしそれは実現の仕方によるわけです。地方案のように、今の府県を廃止して、その代りに天降り的に、七つ乃至九つのブロックを置けばいいというような考え方も一つの考え方かもしれないですが、それは、数十年にわたつてつちかわれてきた府県の社会的基盤をあまりにも無視した考え方で、そういう考え方に基く法律がそう簡単にできて、それが直ぐ実施されるようなことは絶対にあり得ないと思う。もしそんなことが現実にできるようなら、そんな根もない府県は、つぶしても差支えないということがいえるかも知れない。しかし府県はそんな弱い存在ではなし、そんな簡単な手続で実施ができようとは思わない。

統合案の方はたしかに実現がむつかしい。しかしそれがむつかしいというのは府県の立場を尊重する考え方に立つからで、若し地方案の実施方法と同じ考え方に立つて実行するとすれば地方案と同じように簡単に出来るともいえる。新らしい県の図を書いて従来の府県の代りにこれを新らしい「県」とするという法律を作ればよいわけです。そういう点においては、「地方」案と少しも変りがない、と言つていい。しかし、私は、根本において、そういうやり方は、少くとも統合案においてはやるべきではなく、統合案で行くということになれば、バウンダリィ・コンミッションのようなものでも作つて、できるだけ客観的な資料に基き、さつき述べた諸条件を勘案して一つの理想図を描く、そしてその理想図にだんだん近づけていくという方法をとるべきであると考えるのです。実際上には実現のむつかしい方法であるかもしれない。しかし何年もかかつて啓蒙運動をして、こうすることが行政上からいつても、住民の福祉という観点からいつてもいいのだということを説得して、そういう方向へ持つていくことにすればいいのではないか。そうだとすると、実現は非常にむつかしいということはいえる。しかしそれは、むしろ当然のことといつていいでしょう。

俵 そういう考え方は統合案の場合にははつきり出ているのですか。統合の方式について……。

田中 実は、特別委員会から小委員会に移るときに、私の考えを述べたのです。実現方法について、一挙に統合を実施するという考え方と、まず理想図を描いて、できるところから漸次そういう方向に持つていくという考え方とがある。自分はあとの方の考え方がほんとうに民主的な考え方だと思うけれども、その点については検討の余地があるのではないかという意見なのです。ところが、委員長は、できるところから漸次統合するというような考え方は、もうとらないことに、これまでの会議できまつている、と言うのです。したがつて、手続の問題については、意識的にこの答申案の中に出していないのです。ですから、その点が、社会党の委員から盛んにつつかれましたが、尤もな意見だと拝聴したわけです。

播磨 私は、ずつと昔のことですが、府県制の成り立ちについて資料を調べたことがあるのです。ところが、昔、府県制をとるときに、道州制をとるか、府県制をとるかということでずいぶん議論が行われて、その当時も道州制案については、七乃至九ブロック程度の図が引かれていたように記憶している。そのときも、道州制についていろいろな論議をしております。詳しいことは忘れましたが、一つは国会議員と地方議会の議員の数があまり違わないようになる、そうなると、国会議員は東京にいて、安心して充分な国政の審議をすることができないようになるではないか、地方の地盤を地方議会の議員に食われてしまうというおそれがあつて、とても安心して国政に参与することができないということが一つと、もう一つは、道州が非常に強力な地方団体として発展をするということになると、これは国政の分割になる、そういうことをしたら中央の命令が行われなくなるということを心配しておつたようにおもいます。

「地方」案は非常に官治の色彩の強いものですから、その区域が七つでも、九つでもどうでもいいのですけれども、これにほんとうに地方団体としての性格を強くもたす、たとえば大阪市長さんが言つておられたような、「地方」の議会の推薦によつて総理大臣がこれを任命するという、あの逆の手を用いたらですね、これは相当な強い地方団体になるとおもいます。相当な強い地方団体は、当然に政治的にも、強力な発言をすることになるとおもうのです。そうなれば、今度は、今までの府県は市町村のじやまになつたが、今後の「地方」は中央のじやまになつて、それこそ中央政府としよつちゆう衝突するようなことになりはしないか。ことに関東「地方」とか近畿「地方」は、財政的にも相当強力な団体になるとおもいます。そうなると大へんなことが起るので、「地方」案というのは、そういう弊を除くために官治ということをはつきり打ち出しておるのだろうとおもいます。

だから、七乃至九ブロックに分けて、行政の便宜のためにこうしてやるのだといつて簡単に考えてみても、そういう点についてよほど考えておかなければならないとおもいます。一たん「地方」ができて、長が官選になると、「地方」は非常に強い官治団体になるでしようし、また反対に長の選任の仕方でこれが地方団体に逆戻りするということになると、それこそ国としても大へんな問題が起るとおもいます。

田中　地方団体に逆戻りするなどということは絶対にない。まずそういう心配をしなくていいでしよう。答申案には「地方」の区域として三つの案がでていますが、これは内容的に検討された案ではありませんので、ここでいちいち批判するにも値いしない。ですから、この「地方」案の区域については、ここでこれ以上検討しなくてもいいでしよう。

鵜飼　つまり方法論の問題ですね。その方法論の中に、「地方」案と統合案の本質的な違いが出ているのだと思う。その点だけを指摘しておけば、具体的な分け方はどっちでもよいわけです。結局具体的に検討すると、そこはいろいろ違つてくるので、かんたんな問題ではないと思う。ただ基本的な方法の違いが、いたるところにしつぽを出しているが、ここなんかまさにそれですね。

俵　答申には「自然的、社会的、経済的、文化的諸条件を総合的に勘案して、全国を七乃至九ブロックに区分」するとありますが、そのほんとうの意味は、国の出先機関の管轄区域としてもつとも適当な区域によるということだとすると、どうも表現がまずいですね。

十　地方長の任命

俵　それでは次に、「地方」の組織の問題に入りましよう。ここでも「地方」に議決機関として議会を置くこととして、地方公共団体の外観を呈していますが、現行の地方自治制の根幹をなす長の公選制とか、行政委員会制度というものが、「地方」制では姿を消していることが注目されます。また「地方」の支分庁が現在の府県の所在地に置かれるというのでは、地方行政の段階が現在よりかえつて複雑になつて三重の組織になりはしないかというようなことも問題であろうとおもいます。

田中　決定的な意味をもつのは、地方長の選任制だろうとおもいます。ですから、その点から話をしていただいたらどうでしよう。

俵　先ほど田中くんのお話では、第二次地方制度調査会で知事の公選制の廃止に反対の委員はわずか二名であつたということでしたが、これはちよつと意外な感じですね。今度の「地方」案を見まして、その眼目は府県の区域を拡大したというところにあるよりも、むしろそれを機会に知事の公選制を廃止したというところにある。そこに「地方」案の構想の一番大きな特色が出ているとおもえるのです。その意味では、数年前に中央方面から出た知事官選論の一つの変型とみるべきであろうとおもうのです。

この点については、田上くんはどうお考えですか。先ほどからのお話だと、この点はあなたの御意見の核心になるのではないですか。

田上　その前にちよつと伺いたいのですが、答申には出てませんけど、内政省の設置ですね、内閣総理大臣が「地方」の長を任命するといつたつて、総理府の現在の機構では弱い。それにまた実際上考えられますことは、自治庁というものがある、そうしますと、自治庁が実質的には「地方」の地域について発言権を持つことになりますと、これは自治庁の立場としては非常に有力なものになりますけれども、しかし各省との振り合いからいつて、先ほどお話の出たような地方長の権限から申しましても、地方長というものが強いものであれば、各省を押えるぐらいの力がなければ人事の決定は非常にむつかしいと思います。そうなると、総理府の外局で果して充分にやつていけるか、私はここで内政省を主張する意味でなく、こういうふうなことになつてくると、おそらくそこに内政省という考えが出てくるのではないか。そこで地方制度調査会ではそういう議論がありましたかどうか、そういうことをお伺いしたい。

田中　内政省を設けるとか、総理大臣の任命権の行使に実際に当る機関をどこにするかとかいう点は、地方案の四人の起草委員の間で話があつたかどうか知りませんが、起草委員会でも、小委員会でも、具体的にはそういう話は全然出ませんでした。ただ制度の改革に伴つて、中央行政機構の全般にわたる改革についても、検討を加えるということを言つているだけです。非常に抽象的な考え方です。しかし、ゆくゆくは、おそらくは内政省的なものができることは予想されるでしよう。しかし、内政省だけでそれを補佐することになるのか、各省の出先機関を含めての総合出先機関的なものにするとすれば、他の省の発言も無視することはできないのではないか。また、強大な権力を持つた重要な機関ということになれば、政党幹部の意向がどの程度に影響してくるか、ということも非常に問題になると思う。ただ、「政党その他の政治的団体の構成員ではないことを要する」という要件を加えていますから、政党人を出すわけにはいかない。しかし結局、政党人——たとえば選挙に落ちた人でも——党籍を離脱させれば政党人ではないということになるので、こういう要件をきめておいても、大して意味はないでしょうね。

鵜飼　それは選挙に落ちなくたつて、やめさして、現に政党員でないことにしておけば、それでもよいわけでしよう。

田中　そうです。ですから、誰がほんとうの決定力を持つことになるかは、ちよつとわからないのですが、要するに「地方」できめるのではなくて、政権をとつている内閣総理大臣がそのイニシアチブをとるということだけははつきりしている。具体的に、どういうふうにしてその人事が行われるようになるかはちよつとわからない。

田上　常識的に考えて、これは当然閣議に出ると思いますし、ただ現在、おそらく、自治庁というものが総理府の外局であるから一応主任の大臣が出てるだけだと思いますけれども、これはやはり内閣並びに与党の全体で話し合わなければきめられないでしようね。

田中　実質的には、そうでしようね。

鵜飼　地方の組織のところで「『地方』の職員には、『国家公務員の身分を有するものと地方公務員の身分を有するものとを併用すること。』」とありますが、「地方」の職員の中に、昔のように、官吏たる者と公吏たる者という差別、そういう身分的差別を持ち込むということになると、これは非常な問題だと思う。つまり、自治を尊重して地方公共団体たる性格を「地方」に与えるといいながら、実は非常に大事なものを見失つているというか、それを逆用しているわけです。こうした形の公務員制度の運営が行われると、自治体が国に対してますます卑屈になるということになつて、大きな問題だとおもいます。

柳瀬　地方長を官選にする点ですが、これは地方長は二つの資格をもつているから、国の仕事をしている関係では当然国の機関になる。それが悪いと言うけれども、それを認めれば官選にするのは当然の話だ。しかし一方では公共団体の執行機関でもあることになつているから、その資格においては、官選にすることは実質的に見て筋が立たないし、また僕は憲法違反だと思う。「地方」は地方公共団体の性格を有することになつているのだから、その点からいえば、長を官選にしたことは、憲法違反の疑いどころではない、明瞭な憲法違反だ。だから、一体こういう案が出てきたとき、なぜ憲法違反論が出なかつたのかと思つて、不思議なんだ。これくらいはつきりした憲法違反はないとおもう。

田中　論理からはそうかも知れない、しかし現在地方自治法のいう地方公共団体の中には、特別区とか地方公共団体の組合とか財産区とか、これらは、地方公共団体の一種ではあるが、いわゆる憲法上の地方公共団体ではないという解釈のもとに公選の首長はおいていない。……柳瀬君の論理は公認されていないんですよ。

柳瀬　しかし財産区は、僕は憲法のいう地方公共団体ではないとおもう、あれは行政を執行しないから。だから、あれは地方公共団体の名前をつけているけれども、憲法のいう地方公共団体ではない。しかし特別区は明らかに憲法違反だとおもう、特別区は区民から税金をとっているのだからね、自分の機関でないものに税金をとられて黙っているというのでは、地方自治とはいえない。だから、その長の公選を廃止するには憲法を改正するより仕方がない。

俵 柳瀬くんの論理だと、国の事務を担当する中間団体であれば、その長は官選にすべきだということになるね。

柳瀬 国の事務を担当する地方公共団体というのは、あるはずがない。

俵 地方公共団体でなくて、中間団体……。

柳瀬 中間というのかね……。

俵 中間団体というのは国と市町村との中間にある団体という意味だが、それが国の出先機関としての性格と、地方公共団体としての性格とを併せ有するというのが「地方」なんだね。

柳瀬 中間団体に、そういう性格を与えるわけにいかんでしょう。地方が行政区画なら、地方団体というのはおかしい。

播磨 これは古井さんが言われたことですが、政党内閣の時代において、内閣総理大臣が地方長を任命するということになると、中央の政争が地方の政争にもち込まれる、これは非常に危険だということを指摘されたのですが、私らも、その点を非常に心配するのです。官選知事の時代に、政府が政党内閣の場合には、内閣がかわれば巡査まで交替するというような極端な事例もあつたわけです。またまたそういうことが起つてきはしないか、という危惧が多分にあるとおもいますね。

田中　技術的な問題ともいえますが、古井さんが指摘された点で、問題だと思つたことがあります。というのは、内閣総理大臣がある人を地方長に任命しようとして地方議会の同意を求めたところが、たまたまその「地方」の議会は、別の政党が多数を占めていて、その同意を得がたいという場合が起きる可能性がある、そういう場合に一体どうすればいいのか、という質問をされた。この質問に対して、坂さんは、それは「地方」議会の良識に待つという趣旨の答をされた。良識といつても、それぞれの政党は、絶対に自分の考え方が正しいと思つて政治をやろうとしているので、意見の対立することはむしろ当然ともいえる。そういう場合に任命しないでそのまま放つておくのか、どうすればよいのか、ということを重ねて聞かれた。坂さんはこれに答えて、これは私個人の考え方だけれども、その場合には国家が優先するのは当然だとおもう、といわれるのです。問題はそこなんです。それでは議会の同意というものは全く意味がないのではないか、地方議会の同意を得られないことを考慮に入れながら同意を求める、同意しなければ、その場合には国家が優先する、それでは議会の同意というものは一体どういう意味をもつのか、といつて突つ込まれた。私は、坂さんが国家が優先するのは当然だといわれたのは、大変卒直でいいとおもうのですが、そういう考え方のうちに、地方自治に対する考え方がよく現われているとおもうのです。私は中央で任命しようとする者について地方議会が同意しないというような事例が起る可能性は多分にあるとおもう。特に「地方」が相当広域で選挙でもやるということになれば、革新党の議員の当選率がかなり高くなるということも考えられる。そうなれば、中央は保守党で固められ、「地方」は革新党で固められるということも珍らしいことではないかも知れない。現在、府県知事に社会党出身の人が多いし、これからさき、東京も、大阪も、社会党知事によつて占められる可能性が大いにある。そういう情勢が、まさに知事の公選を何とかしてやめたいという考え方に保守系の人を押し進めているのではないかともおもうのです。今後、「地方」の議会が革新党で多数を占められて、政府与党とむしろ対立する関係になるというようなことも、想像されないではないのですね。

地方長は内閣総理大臣が「地方」議会の同意を得て任命するということにしたのは、地方長が国の総合出先機関であると同時に、地方団体の執行機関でもあるのだから、地方の意向も幾らかそこに反映させる必要があるという理論上の要求もあつたのでしよう。しかし同時に、あまりに国が一方的に任命するというと、激し過ぎて、反対が強いだろう。だから「議会の同意」ぐらいで妥協しておこうという気持も、実際上にはあつたのではないかとおもうのです。ですから、「議会の同意を得て」というのは、ある意味では、つけ足し的の意味でしかない。だから最後の総会のときに、市長会の代表としての中井さんの発言の中に、この点については、地方長は「地方」の議会の推薦する者を内閣総理大臣が任命する、ことに改めるとか、その任命方法に住民の意思が反映し、その監視が行われやすい方法をとるべきだ、という意見を述べておられるのですが、これは「地方」案の自殺案であり、その根本趣旨の抹殺案だと思うのです。国がイニシアチブをとつて任命する地方長だから、これに総合出先機関としての立場を与えているのであつて、現行制度のように地方がイニシアチブをとつて選んだ者には国の仕事はまかせられないから、国の任命制に変えようとしているのです。中井さんのいわれるようにすると、この案はそもそも初めからくずれ去るのです。こういう修正意見を述べながら、「地方」案に賛意を表するというような議論の仕方は、おかしいじゃないかと思いますね。

鵜飼　法律にもし「「地方」の議会の同意を得て」と書いたら、同意がなければ絶対に任命はできないのでしょうね。

田中　もちろんそうでしょう。だからその場合に備えて、何とか措置しなければならないだろうという意見が出たのですが、それは法律を作るときにきめればいいという答えでした。もし同意が得られないときは国の考えが優先するという意味は、国が一方的に任命するという意味なのでしょう。

飼鵜　たとえば、地方長に重大な故障があつた場合、どうするかといつた点はどうでしょう。

田上　法定代理では……。

田中　そこまでは議論されませんでしたが、法定代理を決めておくとか、必要に応じ国が代理をきめるというような制度にするでしょう。

鵜飼　そうでしょうね。

播磨　これはちょうど今の府県の警察本部長の選任方式とよく似ていますね。今の府県の警察本部長の選任というのは、割合スムーズにいつています。地方の公安委員と中央の公安委員の意見が衝突して、問題を起したということはあまり聞かない。そのくらいに考えていたのではないですか。

しかし、警察本部長と地方長とでは、これは全然性格が違います。片方は政治的存在ですからね。

ちよつと警察本部長のようにはいかないとおもうのです。ことに内閣でも変つて、社会党内閣になつたとき、「地方」では保守党が隠然たる勢力をもつているというときに、社会党内閣からもつてきた人間なら、片つ端から、いいも悪いもなしに反対をするということも考えられますね、そういう点については、あまり深く考えていないのではないかとおもうのです。

田中　地方長の権力は絶大で、警察本部長とは違いますね。公安委員会もなくなり選挙管理委員会もなくなつて、警察とか選挙とかの仕事は、全部地方長の権限に属することになるでしよう。選挙一つにしろ、地方長の下の警察がおもうように監視し干渉することになれば、大へんなことになりますね。だから地方長の選任は、国務大臣の任命などよりも重要な意味をもつともいえるでしよう。

鵜飼　議会がこれを立法化する過程で、真剣に考えざるを得ないわけですね。

播磨　与党としては地方長が選挙資金を集める有力な足がかりになりますから、地方長の選任が重要視されますね。大阪あたりには有力な人が任命されるでしよう。

田上　公選制の場合には選挙の関係で政治的な色がつくかもしれないという可能性があるので、政治的中立性を必要とする事務については行政委員会が必要となりますが、「地方」案のように公選制でなくなつた場合は、一応行政委員会は必要ないのではないかという考えも多少あるのだろうとおもうのです。ただその場合にはつきりしないのは、そうなると地方長というものの高度の政治的な中立性がどのように保障されるかという点です。一般職の公務員であれば当然そういう保障がありますが、地方長は特別職とおもいます。そうすると、その高度の中立性あるいは身分の保障があるかどうか、この点について、答申では「内閣総理大臣は、職務上の義務違反等一定の要件に該当する場合においては、任期中であつても地方長を罷免することができる」といつているので、はなはだ心もとないのです。答申の立案者は、そういつた規定から相当な程度で首長の独立を保障する気持があつたのでしようか。昔の規定のようなものであれば、これは全く独立はしませんから、問題にならないのですが、今度の場合は、身分といいますか、地位の保障については格別の考慮が払われていなくて、任期中であつても罷免できるというふうになりますので、どの程度に考えていいのかよくわからないのですが……。

田中　任期三年としていますので、建前としてはその間は身分を保障しようというのでしよう。ただそれでも、地方長が国の方針に反する行政を行うというような場合が出てくれば、任期中でも罷免できるので、それに対するさらに適当な保障方法があるかというと、それはない。ですから、中央からこういうことをしろと命令されてそれに従わないということであれば、今度はすぐ議会の同意も何も得ないで内閣総理大臣が罷免できるということになつている。そういう意味において、身分の保障はあるようなないようなものですね。

田上　罷免の点についても、やはり一定の法定手続といいますか、簡単な場合には、議会の同意をもらうとか何かしてよさそうにおもうのですが。答申には「一定の要件に該当する場合」と書いてありますから、少くとも議会の同意は必要でないでしようし、またそうすると、司法的な救済はもちろん考えてないという点で、どうも昔の知事に比べまして特に政治的に地位を保障されているとはおもえない。そうなると、非常な危険はないにしても、ある程度危険である、そういう点でこの案には賛成できない。

田中　身分はあくまで保障しようというふうな考え方は、この案を貫く考え方には反するのでしょう。国の目的に照らして好ましくないような場合には、何時でも罷免することができなければ困るというのが出発点なのですから。地方住民の意向によつて、そのことを決定しようというような考え方は全然出てこないのですね。

播磨　私は、逆にこうおもうのですね、実際に罷免するような場合はほとんどないのではないか。それよりも辞表を出せといわれてもいやと言えないのですね。それからもう一つ、栄転という手を用いて、今お前は東北地方の長をやつてる、しかし近畿地方へひとつ栄転さしてやるということにすれば、三年以内でも喜んで行きますからね。だから私は、非常に悪く解釈いたしますと、官選当時は知事の任期が非常に短かくて、これが官選知事に対する一つの非難の中心になつておりましたから、とにかく三年ぐらいは継続してその任地におるのだろうという、一種のそれに対する言いわけのような感じの方が強い。

田中　そうですね。

十一　地方行政の三重機構

俵　長の公選制の是非については、公選制の利害得失について、われわれの間で前にとりあげたこもある問題でありますし、また行政委員会制度についても前に論じあつたことがありました。しかし、それはいずれも地方公共団体の機構という見地から、そのありかたについて検討を加えたものでありましたが、この「地方」制の場合は、問題の意味がかならずしも同じでないものがあるようです。そういう問題のほかに、府県を廃止して「地方」をもつておきかえるとき、これによつて国の地方出先機関の整理統合ができるし、他方四十数府県の府県庁や府県議会の廃止を伴うので、これで大いに行政機構の簡素化が行われるように見えるのですけれども、現在の府県庁が「地方」の支分庁にかわるというのであれば、結局「地方」の機関が一つふえただけのことになるのではないか。また中央の出先機関が新しい「地方」の中に統合されるとしても、一体それがどの程度において行われうるものか。こういつた点について、調査会としては相当大巾の機構の簡素化を考えていたのでしょうか。

田中　委員会で説明されたところによると、まず府県の議会がなくなる、それによつてうんと経費の節約ができるということが一つ、それから、府県の区域に支分庁を置くことにはなるけれども、機構は必ずしもそう大きなものである必要はない、今の府県の機構はもつと簡素化できる、これが一つ。それから国の出先機関を整理して一本に統合することによつて全体としてその機関の整備ができる、これが一つ。大体こういう説明でした。

私は、国の総合出先機関としての地方長を設けることによつて、他の出先機関をすべてこれに統合することができるかどうか、またかりにできるとして、それが適当であるかどうかという点について、疑問をもつています。仕事の内容が全然違うとすれば、これをすべて統合しても大して得るところはない。たとえば国有林の管理をしている営林局のようなものとか法務局というようなものを統合してみても、行政の総合化に別に役立つということもない。実際の問題としても、多くの出先機関の真の統合はできないでしよう。一つの役所にまとめただけでは行政の総合化にはならないでしよう。

次に支分庁の問題ですが、市町村に仕事を移譲するから現在の府県の仕事はうんと少くなる、だから支分庁を置いても簡素な機構でいいという考え方のようですが、支分庁の仕事がそんなに少くてすむかどうかが問題です。というのは、市町村の行政能力にかんがみると、これに移譲できる仕事は非常に限られざるを得ない。その結果が「地方」又は地方長の権限に吸いあげられる仕事がたくさんある。そうだとすれば、支分庁というものは、大体の規模からいつて、今の府県とそんなに変るものとは思えない。ただ、議会がなくなれば、それに応じて簡素化される面もあるということでしよう。

俵　そうすると、三重組織になる。

田中　実質的には三重組織になつて、市町村としては、非常に強力な支分庁、その上の地方長、それを経て、結局、交付税の交付そのものにしても、農林行政、建設行政、通産行政、その他すべての行政についても、いちいち中央政府の許可を得なくてはならないとか補助金獲得運動をしなくてはならないということになるのが必定だとおもうのです。もし、地方で問題を片づけようとするなら、初めから国家予算を各地方単位に配付するというところまでいかなくてはならない。この案は、そういうところまでやろうというわけではない。予算を政府が握つている限り、多くの問題について、結局、中央へ行かなくては解決しないということになるのではないか、あれだけ事情に精通している人が、これで行政が簡素化されると考えるのが私にはわからない。要するに、この案によると、組織が三重になり、その手続は一そう繁雑になる。これでは却つて、行政の簡素化・能率化のモットーに反することになるでしょう。

俵 そうですね。現在の府県でも、大都市でも、出先機関を置いて事務を地域的に分掌させているけれども、やはり主要な事務は本庁で握つていて渡したがらない。

十二 「地方」における行政委員会制度の廃止

田中 中央官庁の仕事をみな渡したら、中央官庁の部局は要らなくなるのです。それが全部整理できるようになれば、ほんとうにそれがよいかどうかは別として、この案としては成功でしよう。河合良成さんなんかは、そういうやり方ができると思つて、この案を支持されている。寺尾威夫さんにしてもそうだと思う。しかし、そうはならないでしよう。

さきほど、俵くんのお話では、行政委員会の問題は、前にとりあげて論じたから、ここでは重ねて論じなくてもいいだろうという御趣旨だつたとおもうのですが、これは日本の行政機構のあり方という点からするとやはり非常に重要な問題で、「地方」案がかりに実行困難であるとしても、こういう点を部分的にとらえて今後制度改革を具体化していく可能性がある。ですから、この問題について、重複しても、やはり皆さんから充分意見を述べていただいた方がいいのじやないかとおもいます。林田くんからも、鵜飼くんからも、それぞれ意見を述べていただいたらどうですか……。

俵　林田くんは福岡県で選挙管理委員会の委員長をしておられるので、その辺の実情に詳しいとおもうのですが、御意見を述べて下さい。

林田　前にわれわれの間で行政委員会制度のあり方について論じあつたときに、選挙管理委員会という制度は、有害な存在ではないが、有益な存在でもない、こういう御意見がでていましたが、昨年選挙管理委員会十周年の記念式典を地方でやりましたときに、選挙管理委員会は有益な存在ではないという程度のことだ、という評価があるということを話しましたところが、集つていた人達は喧々ごうごうとして、こんなに大切な委員会がほかにあるか、これあつて民主政治が成り立ちうるのだと、みんなが非常にいきり立つたことがありました。

私自身選挙管理委員会の委員長の仕事をしていて身近に感じることですが、やはり選挙管理委員会のような制度はどうしても維持しなければならないとおもいます。

いつか、警察が民主化しておれば選挙の干渉なんかありえないのじやないかという御意見がありましたが、御承知のように、現在はだんだん中央集権化の傾向がみえますので、私は、やはり選挙管理委員会はもとより、その他の行政委員会制度も戦後の民主的な制度の産物としてえられた貴重なものだとおもいますから、やはりこれは育成していかなければ、民主政治の維持は絶対に不可能じやないかとおもいます。

田中　選挙管理委員会は有害ではないが有益でもないというようなことをいいましたかね。それは覚えていないのですが、そのときのみんなの気持は、恐らく、公安委員会とか教育委員会とかに比べればなくてもどうにかやつていける委員会の一つかもしれないということであつたろうとおもうのです。ところで、「地方」案で行政委員会を置かないという方針の一番のねらいは、公安委員会とか、教育委員会とかいうものは要らないということだとおもいます。この点について、鵜飼くん、どうですか。

鵜飼 僕は、御承知のように維持論で、絶対的に行政委員会制度というものは必要だという意見です。理由はきわめて簡単なのです。行政委員会は要らないという考え方と、地方自治は要らないという考え方と、これは同じ根拠なんですね。つまり、中央の政府が国民の民主的に選択した国民の意思の上に立つている政府であるならば、その中央に地方の行政をまかしても何ら差しつかえない、民主政治の原則からみて何ら問題はないじやないか、従つて中央さえ民主化していれば、地方自治がなくなつてもちつともかまわないというのが、地方自治を廃してもいいという意見の根拠になつています。そうして全く同じことが行政委員会についても言われるのであつて、ある区域の行政機関が民主的な意思の上に立つているならば、そのような単一の機関に一切の行政をまかしても差しつかえない。すなわち長から多かれ少かれ独立した行政委員会は廃止してもよい、と主張されるのです。しかし、実はそうではないので、一つの機関に全権をまかすことが必ずその機関の権力の濫用を招くことは、歴史の事実が示すとおりです。

従つて、中央政府がいかに民主化されても、地方の住民の意思を反映するためには、地方にいる住民の意思が実現されるような組織を作つて地方の行政を行つていかなければならない。ただどういう事務がそれに適しているかということは問題ですが、少くともある事務の範囲では、地方の住民の意思が直接に反映されなくてはならない。ここに地方自治の一つの根拠がある。それと同じように、いかに民主化された機関であつても、それに全権をまかせては腐敗する。もしそうでなくて、たとえば警察行政というふうなものでも、これを長から切り離しておけば、権力の集中から起る弊害は少くなる。そこに独立した機関にまかせることの意義があるわけです。ただ、どれだけの事務を地方に与えるのが妥当かという問題と同じように、どれだけの行政委員会を設けるのが妥当かという問題があるとおもう。そういう点では、公安委員会、教育委員会、また選挙管理委員会が今若干問題になつていましたが、私は、これもやはり同じようにその過去の経験からみて大事な事務で、やはり長から独立して行われるべきものであると思う。独立した構成員が事務を管理するということぐらい公正さの確実な保障はないわけで、その意味で林田くんの言われた意見に私は全面的に賛成いたします。

林田　ありがとうございます。（笑声）

田中　現在の府県制度のもとでも、現行の行政委員会制度は必要だとおもうのですが、地方案のような地方長ができた場合には、一層、行政委員会制度が重要な意味をもつことになるでしよう。というのは、地方長は国の総合出先機関として極めて強力な機関になるのですが、これが政党内閣の下に内閣総理大臣の任命する政府与党的な人であつて、しかも警察も、教育行政も、選挙管理も、すべてこれを一手に握るということになることはおそるべきことでしよう。単に権力を分散するという以上に、こういう仕事については仕事の性質上、特に、地方長から独立した行政委員会を設ける必要があるのではないかとおもいます。

鵜飼　それは全く同感です。

田中　公安委員会とか教育委員会とかはもちろんですけれども、現在の制度ではそれらに比べて比較的心配が少いという意味で、選挙管理委員会制度については前に林田くんが御心配になつたような意見を述べたのかもしれませんが、こういう地方長が「地方」を統轄するようになつた場合には、選挙管理委員会のようなものも非常に重要な意味を持つてくるのじやないかという気がするのです。

鵜飼　それは状況が違うのですね、例えば、政令諮問委員会というものが、占領中の制度を改革する方針の一つに、非常に無駄なものは整理していこうと考える、そういう状況と、それからいろいろなものが戦前以上に極端な方向に向つて行こうとするときにそれにどう対処していくかというのでは、問題状況が違うようにおもうのです。

柳瀬　公安委員会がまつ先に目をつけられて改革されたのに、選挙管理委員会だけが目をつけられないというのはあつてもなくてもどつちでもいいからというわけではないかな。

鵜飼　それだけに、こんどはじやまにされるよ。そのときが危ないんだ。

原　「地方」で行政委員会制度が廃止されるということになりますと、今でも、府県にはこういうものを置くとしても市町村では廃止すべきだという意見が多いのですから、今度は、これが拠点になつて、市町村でも廃止されることになるでしようね。

田中　もちろんそうでしよう。府県制度だけのことじやなくて、考え方は府県市町村に通じてですから、公安委員会と教育委員会、それだけは目をつけられるおそれがある。だから、これは、よほど警戒しなくてはいけないですね。

高田　今までの答申の一部分だけをもつてきて、こういうふうに出ているからということで、大きな網を出してくる可能性はありますね。

播磨　今まで行政委員会を置いていたのは、知事に膨大な権力を集中するようなことになつては困る、だから、行政委員会でも置いてコントロールしておこうということだつたとおもうのです。しかし、官選にすれば長に権力が集中しても安全だというわけでしようが、地方からいえば逆であつて、それこそ警察がまた官僚化する心配がある。

田中　こんど起草委員になつた内務省の先輩の方々は、旧憲法時代の官僚としては、まじめな、りつぱな人ばかりだとおもいます。しかし、これから先、地方行政についてすぐれた識見を有し、人格高潔で清貧に甘んじて、全く公正な立場で行政をやつていこうというような人ばかり出てくるとは限らない。それがある政党のお先棒をかついで走り回るようなことになつたら、警察なども、どんな目的に使われることになるかわからないですよ。ですから制度を考える場合には、現在の政治の実際に捉われてしまつてはいけないけれども、やはり現実を前提にして、可能性のある弊害を未然に防止するだけの、制度上の用意がされなければならないとおもう。官僚は間違つたことをしないものだという前提に立つてこの案ができているようですが、そこに根本的な欠陥があるとおもう。

俵　国家公務員と地方公務員の併用という点はどうですか。

田中 「地方」に、国家公務員と地方公務員とをおこうというのですが、これも問題ですね。旧府県制度の下に官吏と公吏とを置いていたのと同じことになるでしょう。公吏というのはほんとにつけ足しで、端役を行なつていたに過ぎないようですが、地方案の場合も結局、国家公務員中心ということになるでしょう。

鵜飼 そのことは同時に、国と地方の間に上下の関係をつけるということを意味する。

播磨 地方公務員と官吏との交流が幾らでもできるようになると、そうして、どつちも一緒ということになれば、官吏も公吏もないですね。店の名前が違うだけです。

柳瀬 やはり長が任命するわけですね。

播磨 そうでしようね。

高田 現在、地方制度の機構としての土木部と、それから建設省の地方建設局というものがあるわけですが、こういうものについても問題が起りますね。たとえば、道路の管理にしても、国家公務員の方になつて、おそらく地方公務員の土木部長が、地方府の土木部長を兼ねるということはまずないでしようね。

田中 私は、この制度ができたら、今日、自治事務だとされているものが、漸次国の事務に吸い上げられ、全部、国家公務員がこれに当るというようなことにもなりかねないと思う。ですから、今の事務配分の線が、根底からくずれ、国家中心に配分されるようになることを惧れるのです。

高田 ですから、最初は一応「地方」の事務とされていても、将来、事務の簡素化とかなんとかかいうことで、支分庁の事務までも国の事務に吸収しようということになりますね。

十三 「地方」の事務及び財政

俵 「地方」の組織については、まだいろいろ問題がありますが、この辺で先に進みましょう。次は「地方」の事務及び財政の問題です。新しくできる「地方」にどういう事務及び財源があたえられるか。この点については、答申の内容はまつたく空疏で、明確を欠く点が少くありませんが、答申にあらわれている限りにおいて問題をとりあげて下さい。

高田 私から申し上げるのは変ですが、「地方」案を見まして一番感じますことは、府県統合の場合は、現在の府県が基礎になつていますから、私もほぼ見当がつくわけです。ところが「地方」の場合は全く新しいものを作ろうというわけですから、やはりそのとり扱う事務というものが新しい制度の中心になるようにおもうのです。それが答申では、見当がつかないということでございます。そういう案が案として成り立ちうるのかどうかという点に、非常に疑問をもつわけです。そういう点から考えますと、区域の問題をはじめその他の問題が内容のわからないままで定められるということとなり、この案が作られた経緯から見て、そのこと自体が納得できないわけです。やはり、「地方」がどういう事務をとり扱うのかということから問題が出発していつて、それに必要な組織なりそれにふさわしい性格をきめていく、また、区域の問題などにも入つていく、こういうことになるとおもいます。ところが、非常に抽象的に書かれているだけで、見当がつかない。たとえば行政委員会の問題に関連して、一体、教育の問題を市町村におろすのかおろさないのか、警察にしても、もう一ぺん市町村の警察にするのかしないのか、そういうことについても全く触れていないので、私たちにはどうもよくわからない点がある、どうしてこの案がきまつたのかわからないのです。

鵜飼 むしろ地方長に強大な権限を白紙委任した形になつていますね。

田中 その点は、私が、小委員会でこの案を議論するときに、言つたことなのです。およそ、府県制度の改革をするという場合に、できた新しい組織が、どんな仕事をどういうふうにやつていくのかということをデッサンだけも描かないようでは、答申として体をなさないのではないかということを、言つたのです。それに対して、そんなこまかな問題までいちいちここでとりあげなくてもいい、極端にいえば、道州制をとるという結論を出すだけでもいいのだ、という意見が述べられました。私は更に、札上の論としてならともかく、第二次地方制度調査会で検討し、今度また第四次地方制度調査会でこれだけ論議を重ねてきたのですから、どんな研究の結果と資料とに基いて、どういう構想で行こうとするのかということを、具体的に示さないでは、調査会としての答申にはならないのではないかということを申しました。自治庁側からも多少ともそういう具体的な内容を答申にもつてほしいという希望意見が出ましたので、幾らか内容に盛ろうということになつて出来たのがこの案なのです。

ですから、ここには、警察をどうするか、教育行政をどうするかということは何も出ていない。従つて社会党の委員からもこういう点が突つ込まれました。社会党の委員は、かりに、府県制度の根本的な改革をするという場合にも徹底して事務の再配分をするという方法でやつて行くという考え方も成り立つのではないか、それほど事務配分は重要な問題であると考えている、その問題を十分に検討もしないで、案としてどれだけの価値があるかというわけで、強く詰め寄つたわけです。まことにもつともな意見なのですが、そんなものは、いちいち書く必要がないというのが、「地方」案の起草者の考え方でしたから、意見の対立ということで終つてしまいました。ただ、案の中には別に現われていませんから何ともいえませんけれども、現在府県の担当している警察とか、教育とかは、学校の設置などは別にして、恐らく、「地方」の方へ吸い上げて行くことになるでしよう。警察の国警化はむしろ当然でしよう。ところが、社会党の北山さんが、特別委員会で、警察をどうするかというような大切な問題に一言も触れていないのはおかしいと、突つ込まれたのに対して、小委員長は、警察の運営については、公安委員会は廃止することにはなつているが、これを民主的に運営する必要のあることは十分考えているので、それは別途考慮するつもりだという説明をされたのです。北山さんは、そんなことはどこにも出ていないではないか、公安委員会をやめてしまおうというのだから、警察も地方長が握ることになることを考えているのではないか、この案からは当然そういう解釈をするほかないではないかと突つ込まれたのですが、それは書いてないだけで、民主的に運営することを考える趣旨だとうまく逃げられました。しかし、公安委員会をやめたあとどうするか、警察を民主的に運営するにはどうしたらよいかというようなことは、起草委員会でも小委員会でも一言も明らかにされませんでした。そういう問題をとりあげる雰囲気ではなかつたとおもいます。尤も、個人的にそういうことを考えていた人があるかどうかは、わかりませんが。ですから、公安委員会をやめて地方長が警察を握る、教育委員会をやめて、教育行政は地方長の権限に属せしめる、そういう考え方でこの案ができているのですから、府県の教育行政の主要なものが地方長の権限に属することになるのは当然ともいえましよう。尤も、中には、「地方」の事務に属せしめられるものが出てくるかもしれないですが、その配分はどうなるのかよくわかりません。

地方案の起草者の考えの中には、市町村に対してはできるだけ仕事を移譲してやろうという考え方があるのですが、現在の市町村にどれだけの事務をおろせるかという問題になりますと、そう楽観は許されない。市町村の行財政能力に照らし、客観的な限界があるわけです。ですから、地方案でも市町村の能力によつて事務の移譲に差等を設けることも考えることになつていますが、それでは市町村の能力によつて移せないものをどうするかというと、これはやはり「地方」なり地方長なりが代つて行うことになる。そうすると、実際には、支分庁でその仕事をしていくことになるのだろうとおもいます。ですから、府県が補完行政を行うのではなくて、国家機関としての性格の非常に強い支分庁がその仕事をやつていくということになるのですね。

しかし、その利点と申しますか、長所がないわけではない。現在、各府県が非常に弱体であるために、農事試験場とかいろいろな施設を設けても、半端な不完全なものしかできない。今度、こういう「地方」単位で設けるとなれば相当まとまつたりつぱなものを設けることができる、そういう施設の総合化ということも同時に考えようというのですから、若干の利点がないわけではない。しかし、それらが多分に国家的な性格を持つたものになつていくところに、この案の特色があるわけです。

原　「地方」案によると、事務再配分にはプラスにならないというよりは、むしろ地方の事務を国家行政化しようとしている。だから、「地方」案は事務再配分の問題なんか、全然無視しているわけですね。

田上　「地方」の議会が一応みとめられている以上、「地方」の自治事務がなくなるということにはならないでしょう。「地方」が単なる国の行政区画なら、かえつて明瞭なんですがね。

原　私は、事務配分というのは、国の事務を地方団体に移譲するというところに意味があるとおもうのです。

田中　その点については、この案を善意に解釈すれば、現在国の事務だとされているものも、自治体としての「地方」にまかせようということを考えているといえるかも知れません。ですから柳瀬くんの言われるように、地方議会の監視を受けながら、「地方」が処理する事務というものがある程度は認められることになるかもしれない。しかし、一体、どの程度にそういう事務が認められることになるか……。

柳瀬　その点は、答申に現われただけでは、どつちとも言えないのではないですか。この案を立てた人の考えを憶測していろいろ言つているだけのことで、答申には何も書いていないからわからないですね。

播磨　地方府を別に置くとなつているでしよう。だから無理に「地方」に事務を持つてこなくとも、地方府という国家機関ができますね。その系統へ簡単に事務をもち込むことができるわけじやないでしようか。また各省としては自分の出先をこさえることですから、むしろその方へもつてゆきやすいということになりますね。

俵 その可能性はあるでしようね。

播磨 地方府に関する限り、議会は関与できませんから。

田中 それはそうです。地方長が国の総合出先機関として仕事をしていく、その役所が地方府なんですから、その役所のする事務に、地方議会は関与できない。

柳瀬 できないのだけれども、その役所は、同時に「地方」の執行機関でもあるのだ。

田中 そうです。地方長はそうなのですが、地方府の方は国の総合出先機関だから、国家公務員をもつて充て、「地方」は自治体なのだから、その方は地方公務員をもつて充てるというふうに観念的に分けてもいる。

柳瀬 同一の長によつて代表されるわけだから、地方府へ持つていくのは、「地方」へ持っていくということでしよう。だから、地方府へ持つていくから、国へ持つていくということには必ずしもならないのでしよう。

鵜飼 地方府は国の総合地方出先機関なんじやないか。

柳瀬 国の総合地方出先機関であるけれども、そこにどの程度に事務を統合するのかはつきりわからない。国のやつてる事務をまとめる、それなら別に何も悪いことはないので、現在でも、国のやつてるものをまとめてやるというだけのことなんです。

高田　播磨くんの言うような趣旨で国の事務を地方府にもつていきやすいというので、地方府へ移してしまえば、府県では委任事務になつているものも、おそらく国家事務になつてしまうというおそれがあるでしようね。

播磨　「地方」の事務になりますと、「地方」の財政とのつながりが出てきますね。予算その他の関係で、どうしてもそういうことになつてくる。

高田　「地方」は課税権を有するものとされていますが、それは何か附加税のようなもので財源を与えようというのでしようか。

播磨　「地方」の事務について、「基本方針」のところで、「国土及び資源の最高度の開発利用、各種産業立地条件の整備等の諸施策を、強力且つ効率的に推進することが不可欠の要件であり」と、こう書いてあります。そうすると地方の事務の一つとして、こういう事務が非常に重要なポイントになつてくるのではないかとおもいます。しかし実際問題として、「地方」ができて、教職員の給与と警察官の給与とを負担するとすれば、それを税金で支払える「地方」がいくらできるか疑問におもうのですね。「地方」の独立財源は充実するとありますが、どの程度充実してくれるのかわかりません。しかし、今の府県の財政を一つにまとめて考えてみて、月給さえ払えないという「地方」がたくさんできる。そういう状態においてですね、国土及び資源の最高度の開発だとか、各種産業立地条件の整備とかいつてみても、実際問題としてこれはできないことになる。ことにこれらの仕事を七乃至九ブロックというような大きな段階において行うことになれば、そういう事務は地方がやるのでなしに、国がやるということになるのではないか。そうするとますます国家的な事務になつてくるのではないかという気がします。

それから、今、田中先生が言われましたが、農事試験場をひとつ統合してみよう、七乃至九ブロックでひとつ充実したものを置こうということになれば、現在の農事試験場あるいは大学についても考えられるのですが、それらはどうなつてくるか、それはもう七乃至九ブロック単位につくられるわけですから、地方でやるような規模のものでなしに、国家的な規模になつてくるとおもうのですね。全く地方としてはそういうものは事実上扱えないということになる。たとえそれをやろうとしても、国家的な規模になつて、むしろ国がやるということになるのじやないかとおもうのです。

それからもう一つ、「基本方針」で行政の統一的処理ということと、行政の一定の水準の確保ということを強調しているのです。この点について考えてみますと、現在府県がもつている事務はできるだけ市町村におろそうという考え方、おそらく住民生活に直結する事務は市町村へおろすという筋だろうとおもいますが、これは、今後の福祉国家の建設という仕事は、今後住民生活に直結する事務になつてくる、そういうところにねらいがあるとおもう。それを市町村におろしてしまつて、果して一定の水準を確保できるか、行政の統一的処理ができるか。市町村に事務をおろして、なおかつ統一的処理を期する、あるいは一定の水準を確保するといつても、その行政について特に強力な監督というようなことがこれに伴わない限り、市町村におろしたら、逆の結果になる。ここにも相互に矛盾した面が現われているとおもうのです。

田中　おつしやるとおりでしよう。市町村におろすと書いてあるのですが、この案の考え方からすると市町村にはおろせない筈です。事実、福祉事務所の関係にしても、保健所の関係にしても、厚生省では、できるだけ上へ引き上げようという考えが強いのです。市町村がほんとうに充実すればともかく、今の段階では、市町村の段階におろすということはとうてい期待できない。ことに一定水準の維持ということを強調することになれば、どうしてもそういう仕事は上へ引き上げられることにならざるを得ないのじやないかとおもいます。

そうしますと、「地方」で教員とか警察官とかの俸給を払うことだけを考えても、かなりたくさんの財源を必要とする。確かにブロック間のアンバランスは、現在の府県相互間のアンバランスよりも率の上では減るということが言えるにしても、具体的な財政力という点では非常に大きな開きができてくる。税源を与え、独立財源を充実するというのですが、独立財源の充実の仕方がないのではないかとおもうのです。結局、財政調整の方法を、現在以上に強力にとらざるを得ないことになるでしよう。そうすると、多くの地方が自治体としての自主的な行政をやつて行く余地は殆どなくて、せいぜい給与負担団体としての使命を果せばいいということになり、しかも財源の上では、固有財源を与えることはむづかしいので、国の財政調整でやつていくことになる。従つてその面からいつても、金の支払をする国の機関にすぎないということになる。自主的に総合開発等の広域行政の実施に乗り出す余地は殆どないのではないかと考えます。

ここに、租税の「賦課徴収の事務は極力簡素化する」ということが書いてあるのですが、これは三好さんの説明によると、大体国税に対する附加税という考え方でいく。そうすれば特別に徴収機関を設ける必要もない。現在各府県で府県税事務所を置いて何万かの人を使つているけれども、そんなものは必要でなくなるという考え方のようです。これも一つの方法でしようが、そうなれば、戦後、自治体は自己の力で税金をとる。これに対して地方住民はみずからの税金を納め、いわゆるタックス・ペイアーとしてその地方の行政に関心をもち、税金のゆくえを見守つて行くという地方自治の根本精神は、ここでは失われてしまうことになるとおもうのです。

播磨 そうなると全くの箝口令ですね。

田中 そうです。ですから、「地方」は自治体だというのですが、自治体としての根本の要素が、ここでは全く失われてしまつている。民主主義の根本原理が無視されているといつてよいのです。そしてただ国の仕事をやつていく便宜のために、給与負担団体としての仕事をさせようということになつてしまうのではないか、こういう感じがするのです。

播磨 それと、もう一つ申し上げておきたいとおもいますのは、そういうふうに「地方」の行政は執行面では全くの官治同様のものになる。ところが答申では「市町村の規模及び能力に応じて移譲する事務に差異を設けること」ができるものとすることと書いてありますが、今までなら知事も公選、市町村長も公選、両方とも自治団体ですから、どちらが握ろうとそう大した差異は出てこないとおもうのですが、市町村の強いところへは権能を少したくさん与える、そうすると弱い市町村とのへだたりが大きくなる。ことに、移すべき事務は国民生活に直結する事務なのですから、そういう事務を国家的に行うということはよほど考えておかないと、おかしいことになるのじやないか。これはみんな一様に市町村におろして、その財源の裏づけをしてやつていくのが正しいのじやないか。

たとえば警察の問題でも、そんなことはあるまいとおもいますけれども、大都市は能力があるから警察をやろうかということになれば、大都市だけは、自分の選んだ市長の警察になり、すなわち民の警察になるわけですね。で、お前のところは能力が弱いからやらないということになれば、私は地方自治の本質的な面にまで影響を及ぼすことになるのではないかとおもうのです。だから、こういうふうに官と民がはつきり分れた場合に、これは官でやるか民でやるかという二つのちがつた立場の考え方にならざるを得ないのではないかということは不合理であるとおもいますがね。

十四 「地方」制と大都市問題

俵 では最後に、大都市制度及び首都制度の問題に移りましよう。府県制度改革の問題は、もともと大都市と府県との間に端を発して発展をみた問題でもあるわけですが、今度の答申では、この点について単に大都市問題の解決を事務配分の方式で別途考慮するという考え方をだしているだけで、この場合にも具体的な内容がないわけです。そこで府県が廃止されて新しく「地方」が設けられた場合、その中で大都市が占める地位なり、大都市と「地方」との関係などについて、どういう問題が考えられるか、そうした点についてお話し合いを願います。

原 その点について地方制案の立案者はどういうふうに考えていたのでしようか。

俵　答申では、事務配分の方式をあげて別途考慮するとありますね。

田中　大都市制度の問題及び首都制度の問題を、この答申の中に加えて欲しいというのが、自治庁側の希望だつたのですが、他の問題の審議だけで時間切れになり、これについては殆ど何の検討もしなかつたのです。地方案をとるとすれば、その中で大都市にどういう地位を与えるかということは当然検討しておかなくてはならない問題だつたのですが、他の問題点の論議だけが、精一ぱいで、時間切れになつてしまい、資料的にもこれらの点について十分に検討するだけの時間の余裕がなかつた。ことに首都制度については大都市制度とは別にまた特別な問題がいろいろあるわけですが、それについても検討する時間の余裕がなかつたのです。それを含めて答申するということになりますと、全体の案がまとまらないことになるというので、これはいずれも別途考慮するということにしたわけです。ただ、考え方の方向だけでも示す必要があるのではないかというので、ここにあるように、「大都市行政の運営の合理化を図るため、事務配分の特例その他事務処理上の特例を考慮すること」ということ、「首都制度については別途考究する」ということにしたのですが、ただその場合に問題になるのは、今の都制を廃止するとすれば、二十三の特別区の区域については完全な自治体が全然なくなる、それは憲法違反になる疑いがあるというので、二十三の特別区の存する区域については、基礎的地方公共団体——東京市の復活というようなことになるも知れませんが——を設けること等を考慮し、適当な制度を立てることにしてはどうかという程度のことが、話に出ただけで、これについては具体的には殆ど全く考究していないと言つていいだろうとおもいます。ですから、これを論外にしておいていただいた方がよいでしょう。

俵　この問題はわれわれの間でも前に取り上げたことがあるのですが、何分答申の内容がはっきりしませんので、次の機会に別途考慮することにしましょう（笑声）。

十五　「地方」制と憲法問題

俵　大体、今まで皆さんのお話を聞いていますと、この答申は、肝心なところに空白があつたり、いろいろ筋の通らない矛盾があつたりしている点が具体的に指摘されたわけです。そこでこの答申が、一応地方自治の本旨に基づく地方制度の改革を標榜しながら、実は中央の立場から地方の行政をなるべく引き上げようという基本的な考え方に立つて、その構想ができているということがあきらかになつたのですが、そういう点については、すでに世論が、感覚的に、この答申に非常に深い疑惑の目を向けているところで、新聞の論調も一致してこのような改革に反対を示しております。

で、最後に、こういうふうな改革がそもそも実現性をもつているかどうかという問題でありますが、おそらく調査会の中でも、理想案を考えるか実行案を考えるかというような点についても議論があつただろうと思いますけれども、こういう広範囲に影響力をもつ大事な問題が非常に簡単に扱われているので、これが実行に移されるかどうかということについては、一般の人はその実現の可能性をあまり信用しておらないようにみうけられます。しかし、とにかく長い間待たれた調査会の答申が出たということは、それだけで無視できない影響力をもっていて、これが今後地方自治の制度に何らかの影響を与えてくることが予想されます。

また、先ほどからたびたびお話の出ましたように、この案の実現にあたりまして、憲法との関係ということが、当然問題になる点だろうと思います。今日の地方制度の改革問題は、憲法との関連を無視して自由に考えることのできないものがあるので、その点、先ほどから、柳瀬くんの憲法違反論、林田くんの憲法違反論がすでに出ておりますけれども、この答申が果して憲法の規定に適合するかどうか。大体、憲法第八章の規定が、従来の府県制度の半官半治制を改めるという目的で、あの規定ができたといういきさつから考えて、地方制のような方向をとることが憲法の規定に照らしてどうなるか、この点はいろいろ意見の違いがあるようですが、田上くん、どうですか。

田上 私は、前から、当然に憲法違反であるとはおもわなかった。それならば全然憲法上問題がないかというと、私自身も、これはやはり相当慎重に考えるべき問題であつて、簡単に、合憲であり、必ずしも憲法上疑義がないと割り切つているわけではないのであります。

そこで、それではもう少しはつきり言えということになりますと、さつきもちよつと申しましたけれども、立法化の段階においてはやはり合憲、違憲という意見が分れるところであることは私もよく知つておりますし、そういう問題については特に慎重に、むしろ控え目に扱うべきである。ただ、法律になつてしまつたときに違憲がどうかという議論になると事情が違うとおもいますが、これはしかし、ここで論ずる必要はないとおもいます。

そういう意味において、私が前から一応合憲だと申しあげているのは、占領下の立場においてでき上つた現在の法律に対して、「地方」案が法律になつてしまつた場合に違憲といえるかということに対しては、私は一応合憲だというのでございます。憲法は、これは他の法律並みに扱うべきではなく、国民の考えることでありまして、一般の意見の中に相当違憲だという主張がある以上は、むしろ立法者の立場、国会議員としての立場でありますと、特にその点を慎重に考慮すべきで、私としてはできるだけ現状に近いものということを考えるので、あまり積極的にはこんどの「地方」案のようなものには賛成しかねるということであります。

田中　憲法問題は、特別委員会、小委員会、起草委員会の各段階で若干問題になつたのですが、私はそれについては積極的な発言をしなかつたのです。それは、結局水かけ論になるということ、憲法との関係ももちろん大切ですが、実質的にどのような構想が、国全体の統治構造としてみた場合の地方のあり方という観点からいつて、一番妥当であるかという、内容的な論議を進めていく方がいいのではないかという意味で、積極的に発言することを控えていたのです。調査会での論議では、特別委員会の段階で、ある委員からこんどの改革案を考える場合に憲法のわくに縛られないのかどうか、仮りに府県を廃止するという考え方をとるとすれば、それは憲法に違反することになるのかどうか、という質問がありました。それに対して委員長は、憲法のわくに拘泥しないで、地方制度の真のあるべき姿を考えてほしいということを言われ、また自治庁次官は、府県を廃止することが憲法に触れるかどうかについてはいろいろ意見が分れているけれども、政府の解釈としては、それは違憲とは考えていない。すでに国会における質疑に対してもそういう趣旨で説明をしているということでした。それで府県を廃止するという案を出しても違憲ではないと考えて立案をしていいのですねという委員の発言があって、論議を進めていったわけです。私の違憲論は、第二次地方制度調査会で述べているので、委員の方には承知されていたでしょうけれど。

ところが、いよいよ案ができて特別委員会に戻ってきたときに、社会党の委員から、この案は、憲法違反の疑いがある、というより憲法の精神に反するものだという考え方に立って、この案は「日本国憲法の基本理念たる地方自治の本旨を尊重」するというようなことをいっているが、これはおかしいのではないかと突いて来ました。それに対して起草者の方では、われわれは憲法に違反するものとは思っていない、学説の上ではいろいろ意見もあるようですが、憲法学者の意見で府県を廃止しても違憲でないという有力な意見がある、宮沢教授もそういうことを書いている、われわれとしては憲法に違反するとは全然考えていない、こういう説明をしました。それに対して社会党の委員から重ねて、われわれはそうは考えないのだが、しかし少くとも「日本国憲法の基本理念たる地方自治の本旨を尊重してその実現に資する」ということはいえないのではないかという質問をしたのに対して、憲法でいう「地方自治の本旨」の実現というのは市町村自治の拡充強化ということにある、だから地方案は憲法の基本理念に沿うのだという説明をしました。で、古井さんからさらに突っ込んで、この案の結果として少くとも地方自治の幅が狭くなることは否定できないのではないか、市町村が多少充実されるとしても、地方自治全体として見てそれが強化されるとは絶対にいえないではないか、国家の立場から見てそれが必要だと言うなら、卒直にそれを認めたらどうか、これが地方自治を充実強化するゆえんだというようなことはしいて言わなくてもいいではないか、もし起草委員の人たちが国の立場から日本の行政はこうあるべきだと考えるなら、あえてそれが憲法の地方自治の本旨の尊重だなどと言う必要は毛頭ないではないかということを重ねて主張されました。これに対しては、別に答弁はされませんでした。おそらくそうは言ってみたものの、この案によって地方自治全体として充実強化することになるとは起草委員も考えられてはいなかったからでしょう。しかし、憲法に違反していないということは、最後まで強く主張していました。全国知事会代表の友末知事からも年来の憲法違反論を強調されましたが、これに対しても、それは見解の相違であって、われわれは憲法違反とは考えていないということで終始したわけです。

総会でも憲法論がやかましく論議されましたが、坂さんは、宮沢さんや柳瀬くんを引き合いに出して、憲法学者はみな府県を廃止しても違憲でないということを言ってる、私の知る限りにおいては、それが憲法違反だと言っている憲法学者はないというようなことを言われたこともありました。その点について、一応水かけ論にしても意見を述べておく必要があるとおもって、私は、最後になって一応私の意見を述べたのです。その趣旨は、憲法の解釈としてはいろいろの解釈が分れている、それは憲法制定の経過に基くともいえるので、憲法の経過に一応触れる必要があるということを考えたものですから、この点について話をしたわけです。最初GHQから示された改正案の中には、府県および市町村の首長は公選するという趣旨がはっきり示されていた。ところが政府が連合国側と折衝する際に、府県および市町村の首長と具体的に規定すると、融通性がなくて困る、だからそのかわりに地方公共団体という一般的表現を用いることにし、一般的に地方自治を尊重するという趣旨をまず初めにうたうことにした方がいいというので、「地方公共団体の組織及び運営に関する事項は、地方自治の本旨に基いて法律でこれを定める」という規定の仕方をした。そこに「地方自治の本旨に基いて」という表現を用い、地方自治を尊重し保障しようという趣旨をはつきりうたおうとした。その結果、一方では、府県という言葉が憲法自身の中から削除されることになつたのであるから、府県を完全自治体でなくしても差しつかえない、府県を廃止しても憲法に違反しないという解釈が出てくるわけで、これは、前法制局長官の佐藤さんが国会で説明したところでもあり、自治庁がこれまで従つてきた解釈でもある。しかし、他方において、憲法の条文の上には府県の自治を保障するとは規定していない、府県市町村というのが一般的な地方公共団体という言葉で置きかえられた、しかし同時に、その組織及び運営に関する事項は「地方自治の本旨に基いて」定めるというふうに、地方自治の一般原則が示された。ことにこういう地方自治の保障に関する規定を設けたのは過去のわが国の地方制度のあり方に対する反省の結果であつて、新しく地方自治の制度を確立しようというところに憲法のほんとうのねらいがある。そしてその精神を具体的に実現するものとして、地方自治法を設け、ここに、都道府県と市町村とをともに完全自治体として定めた。それがまさに憲法の趣旨の実現であるという意味でこれまで承認されてきた。十年たつたところで、社会情勢の特別の変化もなく、突如として府県を廃止することが「地方自治の本旨」に沿うゆえんだということはどうしてもいえない、そういう意味で憲法に違反するという議論が出てくる。これはむしろ当然のことではないか。今府県を廃止するということは、そういう意味において、憲法の根本精神とする「地方自治の本旨」を実現するという見地からいつて、これに背反する考え方になるのであつて、正に憲法の趣旨に反するといわざるを得ない。形式上には、地方公共団体という中に府県が含まれるか市町村が含まれるかという点が問題になるわけですが、従来完全な地方公共団体としての府県を認め、それにある程度の仕事をやらしてきた、それを全部国の機関の手に取り上げて、中央官僚の手によつて民主的コントロールなしにやつて行こうということになることは、憲法のほんとうの趣旨とするところに反するということはむしろ当然認められてしかるべきではないかとおもう、こういう趣旨の話をしたわけです。しかし、この点は、結局憲法の解釈問題としていろいろ意見も分れているし、それを繰り返してみても論議は進まないとおもつたので、当初この問題についてはあえて発言はしなかつたわけで、そのことは決してこれが憲法違反でないと考えてきたわけではないということを言つたのです。

この発言に対して挾間さんは、また立つて、田中さんから憲法違反だという話があつたけれども、私どもは憲法違反とは考えていません、ということを言われた。これはいくら議論してみても水掛け論になつてしまう問題ではないかとおもいます。ただ憲法の上に府県という言葉が載つていないからとか、地方公共団体というのは市町村を考えているのだからというだけの理由では、憲法違反論に対する反論としては弱いのではないかとおもう。なぜ憲法にこういう規定を入れたか、なぜ憲法の実施のための基本法としての地方自治法の中に、特に都道府県・市町村を完全自治体として認めたか。特に普遍的団体としての府県・市町村というものを廃止するということになれば、当然「地方自治の本旨との関係が問題になつてくるのではないか。私は、特別区をどうするかとか、首都をどうするかという問題は、ある意味では断片的・局部的な問題なんで、かりにそれに完全な地方自治体の性格を認めないで、いくらか制限を加えるということになつても、これはあえて憲法違反といえないのかもしれない。しかしその問題と、府県を廃止するという問題とを同一の基準で判断するのは間違つているのではないかという感じがするのです。文字解釈ではなく、憲法の歴史的意義に照らし、その精神をくんで解釈すべきだとおもうのです。

ですから、首都を設ける場合に、一つの完全な自治体がなくてはならないという考え方から、東京市を復活するという考え方は必ずしもとる必要がないのではないか。この場合に、全く特殊な事例として、首都の特殊性に基く特例を認めるということは、説明は困難かもしれないのですが、「地方自治の本旨」に反するとまでいえない、と言えるかもしれない。これは全く局部的な、特殊的な問題なのです。現在完全自治体であるものを自治体でなくするということには住民投票に訴える必要が出てきますけれども、直ちに憲法違反とまでは考えなくてもよい。これに反して、都道府県を全部廃してしまい、その行政を国の行政に引き上げてしまうということは、憲法の趣旨に反するのではないかと考えるのです。

鵜飼 僕はね、田上くんの言われたことは、大事な点を指摘していると思う。つまり憲法に違反するかどうかということと、憲法には違反しないが、しかし政策的に見てどうかということとは区別しなければいけない。つまり憲法違反でないということは必ずしも政策的にそれを賛成しているのではないという点ですね。その考え方は確かに正しいけれども、それがどうも正しく理解されていない。調査会では憲法違反でないという意見について二、三の学者の解釈が引用されたらしいけれど、おそらくその学者たちも、憲法違反でないと言っているが、政策的には妥当でないということも言っているとおもうのです。

私個人としては、これは憲法違反という意見なのです。その違反という意見の根拠は、田中くんのお話のように、司令部との折衝の間で文字の表現を変えられたということは、実は司令部の案の中に示されている考え方というものが、当時の憲法制定権者のやはり立法趣旨だつた。だから当時の憲法制定者は、府県と市町村の自治をともに保障するという立法者意思を明白に持つていたわけです。そのことを反面から証明するものは、おそらく今から四年ぐらい前だとおもいますが、憲法改正問題が盛んに取り上げられて、当時まだ不遇の地位にあつた今の岸首相が、憲法調査会長としていろいろ調査をしておられたけれども、どういう趣旨の改正をするのかということは全然世間に発表されてなかつた。ところが、ある会合で岸さんを呼んできて、どういう改正をするのか、と聞いたことがある。そのとき、五つの改正点をあげたのですが、そのうちの一つが、府県知事を官選にするというふうに言われた。そのことは、明白に現行憲法のままで府県知事を官選にすれば違憲であるという考え方を持つておられたことを示すもので、その意味では、先ほど柳瀬くんの言われたように、地方公共団体たる性格をもつた「地方」の長を官選にすることは、明白に憲法違反と考えていい。おそらくそういうことは、現在の憲法調査会でも、当然問題になつて来ると思う。だから違憲論については、私は多くの人も、大体違憲だということは知つていて、ただ憲法改正が間に合わないから、現在はほおかぶりしようというのが真相じやないでしようか。

俵 憲法違反でないという議論の根拠は、憲法の規定の上に府県という文字がないということにあるらしいが、そういう論法からすれば、市町村という文字も憲法にはないのだから、市町村を廃止しても憲法違反でないということになる。しかし、そういうことはまさか合憲論者も認めないところだろうから、結局、憲法のいう地方自治の本旨をどう解釈するかということに帰着する。

十六 む す び

俵 では、最後に、この答申の全般についての御意見なり御感想を伺いたいとおもいます。

鵜飼 一つ僕は言いたいことがあるんです。この答申案は、わずか一票で、過半数にようやくなつた。こういう重大な問題を決定するのは、票数の問題が非常に問題になるわけです。そうすると、一体、委員というものはどういうふうな国民のクロッス・セクションを代表するものであろうかということが問題になつてくる。国民のクロッス・セクションを代表する委員でないと、わずか一票の差でもつて、国民の生活に大きな影響力をもつ決議がとおるようでは非常に困る。で、将来の問題としては、現在いろいろな調査会がありますけれども、少くとも、国民の意思が反映されるような形か選任方法がはつきりきまるか、あるいはそうでなければ、全く単なる委員会に現われただけの意見であるという尊重の仕方でもつて、それ以上に根本的な重要性を与えることをしない方がいいのではないかと思います。で、現在の問題としては、少くとも、私は、国民めいめいが、自分たちの考えていることをどんどん発表し、われわれもまた考えることを発表して、国民の一人として正しい方向を責任をもつて考える、そういう方向にもつていくのが当然ではないかとおもいます。

俵　同感だね。

田中　その点に関して、私は、最後の総会のときに若干触れて意見を述べたわけですが、第二次地方制度調査会のときに、各委員が大体どんな意見をもつているかということがはつきりしたのです。そのときには、結局、道州案というものがついに成り立たなかつた。まさかそれを、今度の調査会で成立させようと考えたわけではないのでしょうが、故意か偶然か新しく第四次地方制度調査会に加えられた委員は、ほとんど全部が道州制支持の考え方をとつている人であつたと言つてもいいのです。で、最後になつて、道州案というものがどういうものか、今度新しく作られる「地方」案というものがどういう内容のものであるかということについて、それらの人たちもだんだん認識されて、地方案に反対の態度をとつた若干の人がいます。たとえば安芸さんとか、時子山さんとか、あとから加わつた人で統合案に賛成された人もあるのですが、これまでのいろいろの論議からすると、たとえば安芸さんは、第二次地方制度調査会に口述者として出てこられたときには、はつきりと道州制支持の論議をされていました。時子山さんも、今度の委員会が始まつたころには、一種の道州案を主張されていたわけです。現に最後の総会のときに、時子山さんは、自分は、もともと道州案を主張していた、しかし最後に出てきた「地方」案というものを見ると、どうしてもこれには賛成できない、そこで道州案、すなわち「地方」案には賛成しないで、具体的には、自分も別の案を持つているけれども、統合案の方に賛成するのだという意見を述べられた。これは私などの主張がある程度了解されたのだろうとおもうのですが、新しく加わられた人は、大体道州案支持的な人なのです。それに反対の傾向の人は新らしくは一人も入つていないのです。だから、国会議員が決に加わらず、地方公共団体側の代表者がちようど折半されることになれば、大体、学識経験者の数できまる。その学識経験者の大部分が道州制の支持者で構成されているということになれば、こういう結論になることは初めから予期され得たわけです。だから、私は初めから、こんどの第四次調査会に加わることを断つていたのです。初めからこういう結論になるであろうということが想像されていたからです。私は、この調査会に加わつた人たちが、個人としては達識な人であり、また、りつぱな経験者であり、官僚として終始した人も、非常に有能な官僚であつたとおもうのです。しかし根本の考え方で、やはり戦後十年間の世の中の移り変りについての認識において、若い人との間に非常に違うものがあるのではないか、時代のずれがあるのでないかという感じは、どうしても否定できないのです。それで、最後の総会のときに、これらの方々が不適任であつたとは毛頭考えるわけではないが、三十年、五十年先まで見通して理想的な地方制度を立てていこうという重要な問題を考える調査会のメンバーを考えるにあたつては、もつとわかい層の人をこういう委員会に加えることを考慮してほしいと言つたのです。これは各種の委員会、調査会等についても常に感じることで、何といつても、時代のずれというか、自分たちの時代にはうまくいつたという意識があり、昔に比べて今の府県の行政はおもしろくない、弊害が多い、そういう意識が強い。そういう人たちを中心として制度改革をやろうとすると、どうしても方向としてはもとの制度に近い制度に返つていくということは、まず疑いのないところだろうとおもうのです。

それから、今度のこういう結論に到達するに当つて、今、鵜飼くんから指摘されたように、三十三票のうち十七票という過半数ぎりぎりのところできまつたわけですが、この案自体を中心になつて進めてきた人たちが中央官庁の出身者であり、最後の決においてやつと多数を獲得することになつたのですが、それは突如として現われた大蔵事務次官の一票によつてきまつたわけで、これは中央官庁の地方に対する考え方を、はつきりと表現しているのではないかとおもいます。

私は、こういう制度を考える場合に、国会議員を加えること、それから各利害関係者の代表者を加えることにも問題があるとおもうのですが、関係行政機関を加えることも問題だとおもう。意見を聞きたければ、自由にこれらの人の意見を徴すればいい。おもに学識経験者だけで判断した方がいい。そして学識経験者を選択する場合には、いろいろ違つた考え方を持つていることがわかつているのですから、その違つた考え方の人をできるだけ広くその中に包容して、できるだけ広く公正な立場から論議をかわす、そしてその委員たちが、もつと謙虚な気持になつて、他の人の意見を聞くという態度でこの問題を論議するのでなくてはならないのじやないかとおもうのです。

地方制度調査会の委員のうち、地方公共団体の代表者の中には自分達は従来から道州制に賛成してきたので、今後の「地方」案には多少問題があるけれども、この案に賛成するという人があり、地方案の根本趣旨を変更するような意見を述べながら、この案を支持するという人もいました。団体の代表としてはやむを得ないのかも知れませんが、個人としては不条理であることを認めながら、団体の立場上、それに拘束されて採決するという例が、多かつたのじやないかとおもいます。

委員がそれぞれ自分の案に自信を持つていることは大いにけつこうなのですが、自信は持ちながらも、相手方の言い分を謙虚にきいて反省をするだけの心のゆとりをもつことが必要です。私自身がこの点であるいはそうでないという批判を受けるかもしれませんが、もう少し謙虚な立場で意見を交換し、場合によつては妥協するという気持で案が練られるのでなければ、ほんとうに国民の期待にこたえる良い案はできないのではないかという感じがするのです。私は、今度の地方案がぎりぎりのところできまつたということはむしろ不思議におもうくらいです。初めからこういう結論になることはきまつていたと言つていいのじやないかとおもいます。

私たちの考えは結局この多数意見によつて退けられたわけですが、民間の世論は、強く、この地方案に反対している。ことに新聞の社説はもとより、断片的に現われた意見の中にも、「地方」案に対する猛烈な反対を述べているものが多い。国全体の新聞の大部分が、論説においては同じ論調をとつているという点からみますと、この案が答申されて、関係者がこれを実施しようとしても、まず実現性はないというか、実現性のはなはだ乏しい案だろうとおもうのです。しかし、とにかくこういう案が権威のある地方制度調査会の名において決定されたということになると、今後の制度改革に相当大きな影響を与えることは疑いない。ことに今まで政府がやつてきたやり方からしますと、案を全体として、アン・ブロックに実現しようというような態度をとらないで、そこに示された個々のポイントを便宜的に引つ張り出して、その点だけを答申の趣旨を実現するのだといつて実現していくような可能性が多分にある。たとえば行政委員会制度の廃止というような問題も、それだけきり離してとり上げられる可能性が出てきます。それからまた、府県の仕事とされているものを、国の事務にとり上げていくという考え方は、だんだん強くなつてくるだろうとおもうのです。たとえば建設省関係の、道路の管理とか、河川の管理とかについて、すでにそういう考え方が出て来ているわけですし、収用委員会についても、現在の収用委員会を廃止して、ブロック単位に政府出先機関として新らしく委員会を設置する案が考えられているらしい。この地方案は、断片的ですが、政府当事者の考えている考え方に合致する、この線に沿つた考え方が個々的にとりあげられていく可能性があるのではないか。従つて国の事務を府県に移譲するとか、市町村に移譲するとか、さらにそれに伴う財源の配分をするとか、これまで主張されてきた地方自治確立の方向の実現はおろか、それとは逆の方向へ進むことになる可能性が多い。問題はむしろそこにあるので、私としては非常に心配せざるを得ないのです。こういう案を市町村が協力して支持する態度に出るということは、全く了解に苦しむのです。尤も、町村議会議長会は、この案に反対しているわけですが、どうしてほかの三団体がこの案を支持し、そして自分たちがそれでおもうとおりにやつていけるようになると安易に考えているのか、もしほんとうにそう考えているとすれば、あまりにも思わざることのはなはだしいのに驚くわけです。

俵　きようは、こんど地方制度調査会から政府に答申されました府県制度の改革案をとりあげまして、この答申が出るまで、直接その中で重要な役割を果された田中くんのお話を聞きながら、答申の内容を検討してみたわけであります。いろいろ個々の問題につきましては、われわれの意見は常にみな違うわけでありますけれども、この答申の考え方なり、その内容なりについては疑問が多く、とうてい賛成できない、支持できないという点では、だいたい意見の一致を見たのではないかとおもいます。

で、ただいま田中くんから結論的なお話が出ましたので、本日の座談会はこれをもつて終りたいとおもいます。

資料

一　地方制度の改革に関する答申

二　地方制度調査会委員名簿（昭和三十二年十月十一日現在）

一　地方制度の改革に関する答申

当調査会は、さる昭和二十八年十月地方制度の改革に関しとりあえず当面とるべき措置について答申を行つて以来、引き続き、わが国独立後の自立体制確立の方針に即応して、日本国憲法の基本理念に基き、現行地方制度全般にわたる根本的改革の検討に着手した。この間、悪化の一途をたどりつつあつた地方財政の窮状を打開する必要に当面したので、昭和三十年十一月、同年十二月及び昭和三十一年十二月の三回にわたり、地方財政の改善方策について答申することとなり、ために、現行地方制度の根本的改革の検討を一時中止するのやむなきに至つた。その後、当調査会は、本年二月以降本問題の本格的検討を開始し、今日まで府県制度を中心として現行地方制度の全般にわたり審議してきたが、ようやく結論に到達したので、ここに、府県制度を中心とする地方制度の根本的改革について答申する。

第一　地方制度改革の基本方針

社会、経済、文化等の進展に伴い、現代国家においては、国民生活の安定向上を図るための行政の任務が、質量ともに著しく増大するに至つた。しかも、これらの任務の達成にあたつては、行政は、地方の実情に即しつつ、全国を通じてある程度まで統一的に、また一定の水準を保つて実施されることが必要であるため、国と地方公共団体が協同して、このような行政上の要請に応えなければならないこととなつてきた。同時に、このような行政の機能を充実させるために、多額の財政需要を生ずることとなつたが、これをわが国情に即して極力国民負担の軽減を図りながら実現するためには、国及び地方を通じて合理的な行政制度を確立し、行政の経済化、効率化を強く推し進めなければならない。特に、今後におけるわが国経済の均衡ある発展、国民生活水準の向上を期するためには、限られた国土及び資源の最高度の開発利用、各種産業立地条件の整備等の諸施策を、強力にかつ効果的に推進することが不可欠の要件であり、このような要請に応えうるような地方制度、なかんずく、広域的な地方行政組織の確立を図ることが緊要であると考えられる。

更に、基礎的地方公共団体たる市町村の行財政能力が、大都市においてはつとに著しい充実をみているが、一般の市町村においても、町村合併のめざましい進捗により、近時画期的に充実されてきた事実を看過することができない。このような事態に即応しつつ、日本国憲法の基本理念に基き、地方自治をより一層進展させて市町村を充実強化するという見地からも、わが国地方制度の再検討が必要と考えられるに至つている。

右に述べた要請に対して、現在の府県の区域は、明治以来六十余年間における社会、経済、文化等の著しい、しかも地域的に不均衡な発達の結果、今日における地方行政運営のためには必ずしも適当な区域とは称しえない状態にある。すなわち、府県の間に近代的行政遂行上の必要な能力に顕著な不均衡を生じており、資源の開発、国土の保全等の広域行政事務を合理的に処理するためには、現在の府県の区域は狭あいに過ぎる場合が多く、更に、近代的な高度の行政の能率的運営及び行政経費の節減の見地からも、より広域において行政事務を処理することが合理的であると考えられる。

また、府県の事務は、いわゆる国家的性格を有するものがその大半を占め、行政のすう勢は、いよいよこの傾向を進めるものと考えられるにもかかわらず、戦後行われた府県の性格の変更とこれに伴う知事公選をはじめとする一連の府県の制度に関する改革は、国との協同関係を確保し全国的に一定の水準の行政を保障するうえに欠けるうらみなしとしない。その結果、国の地方出先機関の濫設を招いて行政の複雑化をきたし、更に国の各般の行政運営上の不備、府県と市町村との機能の重複等と相まつて、国及び地方を通ずる行政の総合的、効率的な運営を妨げ、経費の濫費を伴うこととなつた。

このように現行府県制度は、区域の点においても、また、性格及び組織の面においても、幾多の欠陥を有しているので、これらの欠陥を是正し、前述の要請に応ずるため、根本的な改革を行うことが必要である。

以上のような見地において、基礎的地方公共団体たる市町村の充実強化を図ることによつて、日本国憲法の基本理念たる地方自治の本旨の実現に資するとともに、現行府県はこれを廃止し、国と市町村との間には、いわゆるブロック単位に、新たに中間団体及び国の総合地方出先機関を設置し、同一人をもつて両者の首長及び必要な補助職員とする等の方法により、その一体的総合的運営を確保し、もつて、国及び地方を通ずる総合的な行政運営の体制を確立することが、行政の効率化の要請とわが国情に即した国政と地方自治の調整の見地より、最も妥当な方法であると考える。

なお、当調査会としては、このような地方制度の改革を行うと同時に、あわせて国の行政事務処理方式及び中央行政機構についても根本的に再検討を加え、もつてわが国の行政組織及びその運営全般について整備改善を図ることが必要であると考える。

第二　府県制度改革の具体的方策

一　現行府県は、廃止すること。

二　国と市町村との間に、次のような中間団体を置くこと。

(一)　名称　　中間団体の名称は、「地方」(仮称)とすること。

(二)　性格　　「地方」は、地方公共団体としての性格と国家的性格とをあわせ有するものとすること。

(三)　区域　　「地方」の区域は、自然的、社会的、経済的、文化的諸条件を総合的に勘案して、全国を七ないし九ブロックに区分した区域によること。なお、現行府県の区域は、原則として分割しないものとするが、必要がある場合は分割することを認めること。

(四)　組織

1　「地方」に議決機関として議会を置くこと。

(1)　各「地方」の議会の議員の定数は、四十人から百二十人までの範囲内において人口に応じて定めること。

(2)　議会の議員は、「地方」の住民が、郡市又は郡市を合せた区域を選挙区として直接選挙することとし、その任期は四年とすること。

2　「地方」に執行機関として「地方長」(仮称)を置くこと。

(1)　「地方長」は、「地方」の議会の同意を得て内閣総理大臣が任命すること。

(2)　「地方長」は、国家公務員とし、その任期は三年とすること。

(3)　「地方長」は、地方行政に関するすぐれた識見を有し、かつ、政党その他の政治的団体の構成員でないことを要するものとすること。

(4)　「地方」の議会は、内閣総理大臣に対し「地方長」の罷免を請求することができることとし、内閣総理大臣は、正当な理由があると認めるときはこれを罷免するものとすること。ただし、議会は、「地方長」の就任後一年間又は罷免の請求の議決後一年間は、罷免の請求をすることができないものとすること。

(5)　内閣総理大臣は、職務上の義務違反等一定の要件に該当する場合においては、任期中であつても「地方長」を罷免することができるものとすること。

3　「地方」には、特定事項に関する裁定、審査等の機能を行うものを除き、執行機関たる行政委員会は置かないこと。

4　「地方」の職員には、国家公務員の身分を有するものと地方公務員の身分を有するものとを併用すること。

5　現在の府県庁の所在地その他適当な地に「地方」の支分庁を置くこと。

㈤　事務

1　「地方」又はその機関は、現在国が処理している事務のうち、「地方」又はその機関に移譲することができるもの、及び現在府県又はその機関が処理している事務で市町村又はその機関に移譲することができないものを処理すること。

2　現在国の地方出先機関が処理している事務は、極力「地方」又はその機関に移譲し、これに伴い、当該地方出先機関は廃止すること。

3　現在府県又はその機関が処理している事務のうち、市町村又はその機関に移譲することができるものは、極力市町村又はその機関に移譲すること。なお、現在国が処理している事務についても、できるだけ市町村への移譲を考慮すること。この場合において、市町村の規模及び能力に応じて、移譲する事務に差異を設けることができるものとすること。

4　現在府県が設置している各種施設については、これを「地方」に移管することに伴い、根本的な統合整備を図ること。

5　「地方」は、その処理する事務につき、条例又は規則を制定することができるものとすること。

㈥　財政

1　「地方」は、課税権を有するものとし、その賦課徴収の事務は極力簡素化すること。

2　「地方」の独立財源を充実し、あわせて財政調整の方法を考慮すること。

3　「地方「は、起債能力を有するものとすること。

三　「地方」の区域を管轄区域とする国の総合地方出先機関（「地方府」（仮称））を置くこと。

(一)　「地方府」の首長は、「地方」の執行機関たる「地方長」をもつてあてること。

(二)　国の地方出先機関のうち、その処理する事務を「地方」又はその機関に移譲することができないものは、原則として「地方府」に統合すること。

四　大都市制度及び首都制度の取扱については、次のとおりとすること。

(一)　大都市行政の運営の合理化を図るため、事務配分の特例その他事務処理上の特例を考慮すること。

(二)　首都制度については別途考究するものとし、「地方」の設置に伴い、現行特別区の存する区域については、基礎的地方公共団体を設ける等必要な調整を講ずること。

(備考)　府県制度の改革に伴い、国の中央、地方を通ずる行政事務処理方式及び国の中央行政機構の全般にわたる改革についても、根本的に検討を加えること。

（参考一）「地方」の区域に関する試案

第一案　（7「地方」）

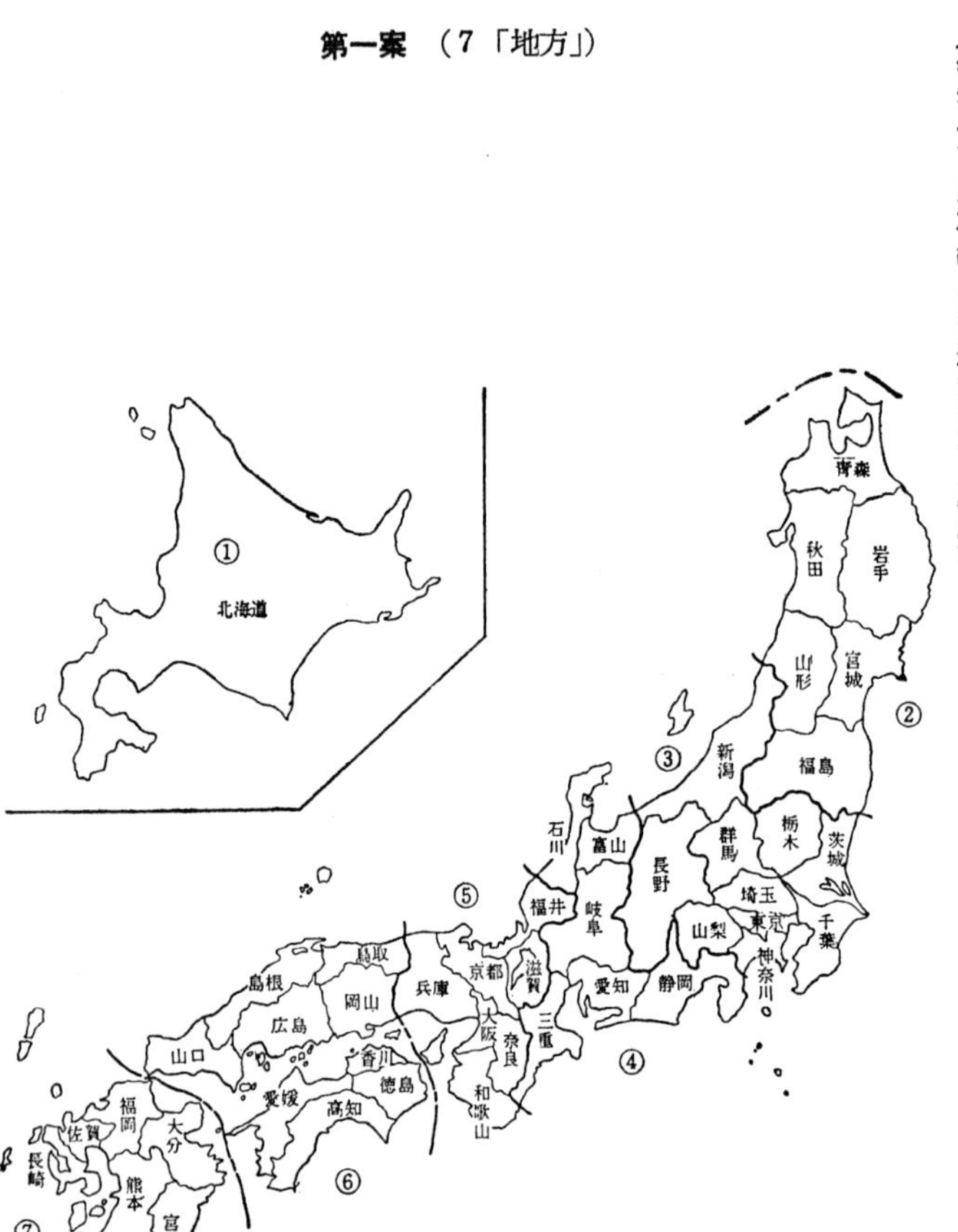

（備考）　新潟、長野、福井、三重の諸県又はその一部の区域の所属については、なお、検討を要する。

区分＼事項・単位	人口	面積	国民所得		租税負担額	
			総額	一人当り	総額	一人当り
	人	km²	百万円	円	百万円	円
1	4,773,087	78,486.06	332,409	69,642	50,739	10,630
2	9,334,442	66,839.13	414,263	44,380	61,052	6,541
3	25,951,258	62,762.66	1,999,095	77,031	442,657	17,057
4	11,476,139	37,527.22	729,807	63,593	133,409	11,625
5	13,565,885	31,478.97	1,097,413	80,895	259,001	19,092
6	11,237,251	50,467.18	630,616	56,118	91,497	8,142
7	12,937,467	42,044.29	684,991	52,946	104,036	8,041

（注）1　人口は、昭和30年国勢調査による。

2　面積は、昭和30，31年版日本統計年鑑による。

3　国民所得は、昭和28年度国民経済研究協会調による分配所得である。

4　租税負担額は、昭和31年５月31日現在における、「昭和30年度国税収納済額」（国税庁調）、「昭和30年度道府県税徴収実績調（決算見込額）中収入額」（自治庁調）及び「昭和30年度市町村税徴収実績に関する調中収入額」（自治庁調）の合算額による。なお、租税負担額には、関税、とん税、国民健康保険税及び専売益金は含まれていない。

第二案　（8「地方」）

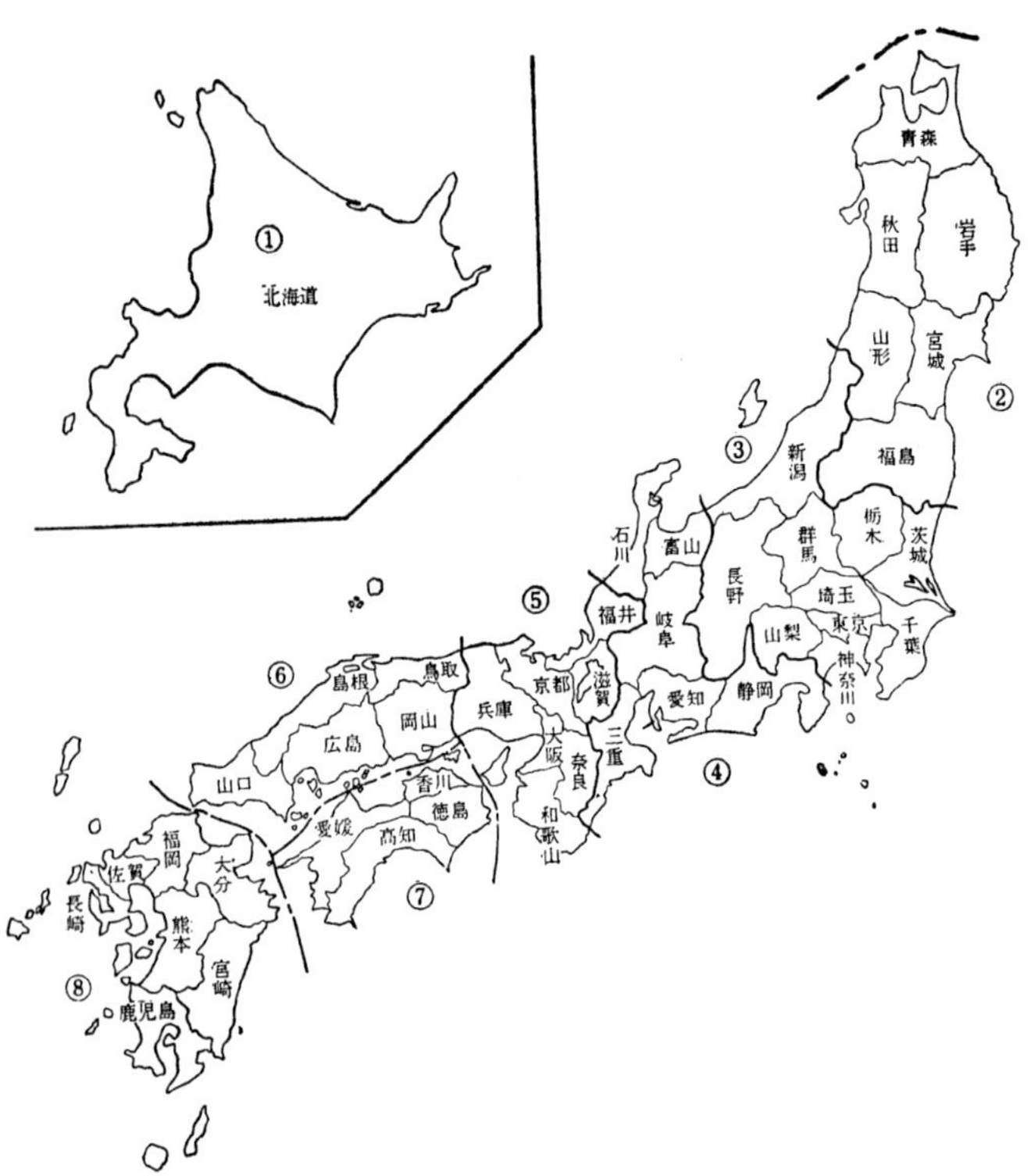

（備考）新潟、長野、福井、三重の諸県又はその一部の区域の所属については、なお、検討を要する。

区分＼事項・単位	人口	面積	国民所得		租税負担額	
			総額	一人当り	総額	一人当り
	人	km²	百万円	円	百万円	円
1	4,773,087	78,486.06	332,409	69,642	50,739	10,630
2	9,334,442	66,839.13	414,263	44,380	61,052	6,541
3	25,951,258	62,762.66	1,999,095	77,031	442,657	17,057
4	11,476,139	37,527.22	729,807	63,593	133,409	11,625
5	13,565,885	31,478.97	1,097,413	80,895	259,001	19,092
6	6,992,008	31,695.13	425,279	60,824	66,420	9,499
7	4,245,243	18,772.05	205,337	48,369	25,077	5,907
8	12,937,467	42,044.29	684,991	52,946	104,036	8,041

（注）　1　人口は、昭和30年国勢調査による。

2　面積は、昭和30,31年版日本統計年鑑による。

3　国民所得は、昭和28年度国民経済研究協会調による分配所得である。

4　租税負担額は、昭和31年5月31日現在における、「昭和30年度国税収納済額」（国税庁調）、「昭和30年度府県税徴収実績調（決算見込額）中収入額」（自治庁調）及び（昭和30年度市町村税徴収実績に関する調中収入額」（自治庁調）の合算額による。なお、租税負担額には、関税、とん税、国民健康保険税及び専売益金は含まれていない。

第三案　（9「地方」）

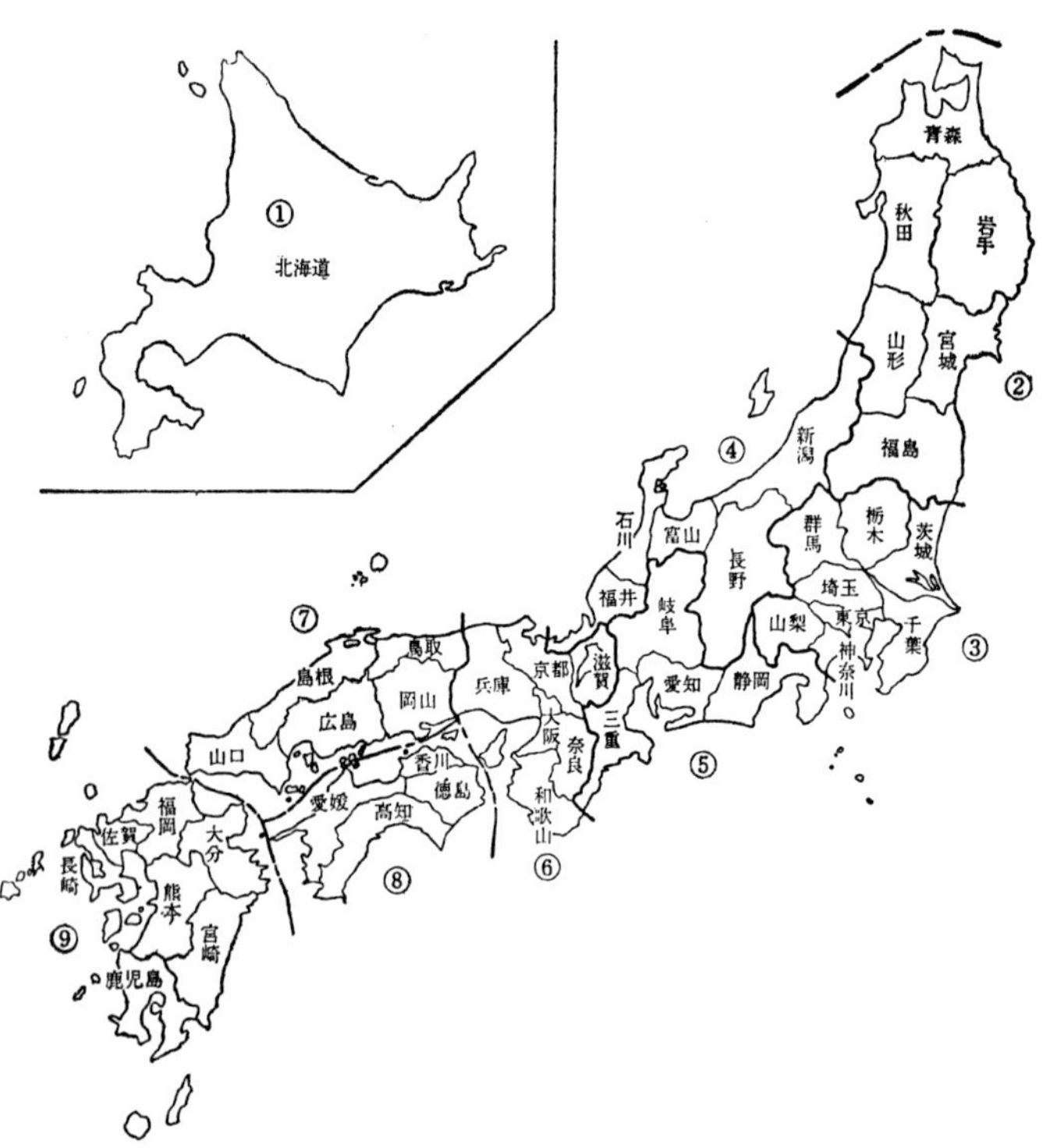

（備考）　新潟、長野、岐阜、福井、三重の諸県又はその一部の区域の所属については、なお、検討を要する。

区分＼事項・単位	人口	面積	国民所得		租税負担額	
			総額	一人当り	総額	一人当り
	人	km²	百万円	円	百万円	円
1	4,773,087	78,486.06	332,409	69,642	50,739	10,630
2	9,334,442	66,839.13	414,263	44,380	61,052	6,541
3	21,456,474	36,561.24	1,740,602	81,123	407,065	18,972
4	7,236,147	38,908.25	415,521	57,423	59,379	8,206
5	9,488,831	29,074.26	612,247	64,529	115,644	12,187
6	12,811,830	27,225.10	1,057,945	82,576	252,980	19,746
7	6,992,008	31,695.13	425,279	60,824	66,420	9,499
8	4,245,243	18,772.05	205,337	48,369	25,077	5,907
9	12,937,467	42,044.29	684,991	52,946	104,036	8,041

（注）　1　人口は、昭和30年国勢調査による。

2　面積は、昭和30,31年版日本統計年鑑による。

3　国民所得は、昭和28年度国民経済研究協会調による分配所得である。

4　租税負担額は、昭和31年５月31日現在における、「昭和30年度国税収納済額」（国税庁調）、「昭和30年度道府県税徴収実績調（決算見込額）中収入額」（自治庁調）及び「昭和30年度市町村税徴収実績に関する調中収入額」（自治庁調）の合算額による。なお、租税負担額には、関税、とん税、国民健康保険税及び専売益金は含まれていない。

（参考二）　事務配分及び国の地方出先機関の整理統合に関する試案

一　現在府県又はその機関が処理している事務のうち、市町村又はその機関に移譲するものとして、たとえば、次のような事務につき、検討を加えること。

1　社会福祉に関する事務
2　保健衛生に関する事務
3　農業改良及び植物防疫に関する事務
4　建築基準に関する事務
5　その他住民の日常生活に直結する事務

二　「地方」又はその機関はその所掌事務を移譲し又は「地方府」に統合される国の地方出先機関として、たとえば、次のようなものにつき、検討を加えること。

1　管区警察局
2　調達局及び連絡事務所
3　管区行政監察局及び地方行政監察局
4　北海道開発局（北海道の場合）
5　法務局及び地方法務局
6　財務局及び財務部
7　地区麻薬取締官事務所
8　農地事務局
9　統計調査事務所
10　食糧事務所
11　通商産業局
12　海　運　局
13　港湾建設局
14　陸　運　局
15　労働基準局及び労働基準監督署
16　婦人少年室
17　公共職業安定所
18　地方建設局

地方制度の改革に関する少数意見

第一　地方制度改革の基本方針

およそ制度の根本的改革を論ずるに当つては、制度の欠陥から生ずる弊害にのみ眼を奪われることなく、常に制度の有する長所又び短所を正しく把握し、欠陥はこれを是正するとともに、長所はこれをますます伸張するように努めることをもつてその基調とすべきものと考える。しかして、わが国の地方制度は、戦後、日本国憲法の理念に基き民主化され、なかんずく、府県は、知事の公選、職員の地方公務員への身分の切替、各種行政委員会制度の採用等により、その面目を全く一新し、十年後の今日においては、地方制度はようやく安定してきたと認めることができる。もちろん、現行地方制度についても欠陥は認められるが、その多くは国の地方自治に対する理解の不十分及び地方公共団体自体における運営の未習熟に基くものと考えられるのであつて、地方制度の欠陥はすべて制度そのものに内在するものと判断して、その根本的建前の改革を主張することは、現行制度のもつ意義を没却するものであり、わが国政の将来のためにとることができない。

今日、地方制度の改革を検討するに際しては、まず第一に、戦後その面目を一新した地方制度の根本精神をあくまで尊重し、それがわが国の民主政治の確立の上に果した役割を高く評価し、これを一層伸張せしめることに基調を置かなければならない。この基調に立つて、制度の欠陥を是正するとともに近代的な行政の要請に即応する体制を確立するために必要な最少限度の改革に止めるべきことが至当であると考える。したがつて、府県を市町村とともに完全自治体としている現行地方制度の根本的建前については、これを改革する必要を認めないのみならず、今後においても変更を加えるべきではない。ただ、今日やや欠けるところがあるとされている国と地方との利害の調整の問題については、国家的性格の強い事務の処理に関し国の関与の方法に検討を加え、現行制度よりも更に簡素な方法を設けることにより解決すべきものと考える。

第二に、現行府県の区域については、時代の進展に即応せしめることを考えなければならない。すなわち、現在の府県の区域は、明治以来六十余年間全く変化がなく、その間における社会、経済、文化、交通、通信等の著しい発達にそぐわないのみならず、その発達は、地域的に必ずしも均衡がとれず、これがため、府県相互の間に近代的行政を遂行するうえに著しい能力の不均衡が生じてきている。更に、限られた国土にぼう大な人口を擁するわが国にとつて、資源の徹底的開発利用、産業立地条件の整備その他国土の総合的開発の要請は、将来ますます強くなるのであつて、このため、広域的行政を効率的に処理することができる体制を確立する必要がある。この見地から、現行府県の区域については、おおむね三、四の府県の統合によりその区域を広域化し合理化しなければならないと考える。

第三に、府県の果すべき機能を明確にしなければならない。今日、地方制度における行政の非能率とこれに伴う国民負担の過重は、市町村と府県との二重構造に由来するといわれているのであるが、これは、両者が完全自治体であることによるものではなく、むしろ、両者の担当すべき機能に重複と混こうがあることからくる欠陥である。したがつて、市町村と府県の機能を明確に区分し、市町村は住民の身近においてその日常生活に直結する事務を自主的に処理し、府県はより広域にわたる事務及び統一を保持し一定水準を維持する必要のある事務を自主的に処理する体制を確立するならば、おのずからこの欠陥は是正されて、二重構造の弊は除去されるものと考える。なお、あわせて現在国が処理している事務についても、できる限りこれを地方公共団体又はその機関に移譲することにより、地方住民の意向を反映し、地方の実情に即した行政を行うことができるようにしなければならない。このために、国、府県又び市町村を通ずる事務の合理的配分を行うとともに、これらの事務処理の裏付けをなす財源の配分について検討を加えなければならない。

なお、最近における町村合併の結果、市町村はおおむね適正な規模となり、その行財政能力は著しく強化されたのであるが、なお現段階においては、市町村が適切に処理することができない事務の存することは否定しえないので、府県は、当分の間、過渡的に市町村の能力を補完する機能を担当することもやむをえないものと考える。

当調査会は、右に述べたような改革の基本方針のもとに検討を重ねた結果、府県制度を中心とする地方制度の改革については、次に述べるような具体的方策をとることが適切妥当な方法であるのと結論に達した。

第二　府県制度改革の具体的方策

現行府県の完全自治体としての性格は、これを維持しつつ、おおむね三、四の府県を統合して府県の区域を再編成するとともに、国、府県及び市町村を通じて事務の合理的配分を行い、各々の機能を相互の重複なく、十分に発揮させるような体制を確立する。

一　名称　統合された団体の名称は、「県」（仮称）とすること。

二　区域　「県」の区域は、自然的、社会的、経済的、文化的諸条件を総合的に勘案し、かつ、「県」をできるだけ相互に均衡のとれた能力を有する団体とすることを目途として、おおむね三、四の府県を統合した区域によるものとすること。なお、現行府県の区域は、必要により分割すること。

三　組織

(一)　「県」の議会の議員の定数は、五十人から百人までの範囲内において人口に応じて定めるものとし、現行どおり住民が直接選挙すること。

(二)　知事は、現行どおり住民の直接選挙によるものとし、その任期は四年とするが、引き続き再選を認めないこと。

(三)　教育委員会、選挙管理委員会、人事委員会、公安委員会等の行政委員会は、原則として存置すること。

(四)　「県」の支分庁は、原則として置かないこととすること。ただし、当分の間、必要な地に簡素な支分庁を置くことができるものとすること。

四　事務

(一)　現在府県又はその機関が処理している事務のうち、社会福祉、保健衛生その他住民の日常生活に直結する事務は、基礎的地方公共団体たる市町村又はその機関に移譲するとともに、「県」は市町村と異なり、次に掲げるような事務を担当する地方公共団体とすることにより、市町村と「県」が、相互に機能を異にしつつ民意に即した行政を行うものとすること。

1　地方の総合開発計画の策定、治山治水事業その他広域にわたる事務

2　義務教育その他の教育の水準の維持、警察の管理及び運営その他統一的処理を必要とする事務

なお、市町村の行財政能力の現段階にかんがみ、事務の移譲については、市町村の規模能力に応じて差異を設けることができることとするとともに、「県」は、過渡的に市町村の能力を補完する機能を担当することができるものとすること。

(二)　現在国が処理している事務のうち、「県」若しくはその機関又は市町村若しくはその機関に移譲することができるものは、極力移譲を考慮するこ

と。なかんずく、統計調査事務所、食糧事務所、労働基準局、労働基準監督署、婦人少年室、公共職業安定所等において所掌している事務は、「県」又はその機関に移譲し、その他の国の地方出先機関の所掌にかかる事務もできる限り移譲し、これに伴い、当該出先機関は廃止するか又は「県」に統合すること。

(三) 現在府県の機関に委任されている国の事務は、できるだけ「県」の自治事務とすること。

(四) 「県」又はその機関の処理する事務のうち、国家的性格の強いものについては、違法な処分の取消を認め、又は違法に処分を行わない場合の代執行について現行制度よりも更に簡素な制度を設けることにより、国家目的の達成に遺憾なからしめること。

五　財　政

(一) 事務の再配分に伴い、裏付けとなるべき財源の配分を考慮すること。

(二) 行政の水準及び財政の均衡を維持するため、財政調整の制度は、合理化して存置すること。

六　大都市制度　　大都市行政の運営の合理化を図るため、事務配分の特例その他事務処理上の特例を考慮すること。

七　首都制度　　特別区の存する区域を中心とした合理的区域をもつて、別途首都制度を考究すること。

（備考）　府県制度の改革に伴い、国の中央行政機構の改革について、根本的に検討を加えること。

（参考一）「県」の区域に関する試案

第一案　（15「県」）

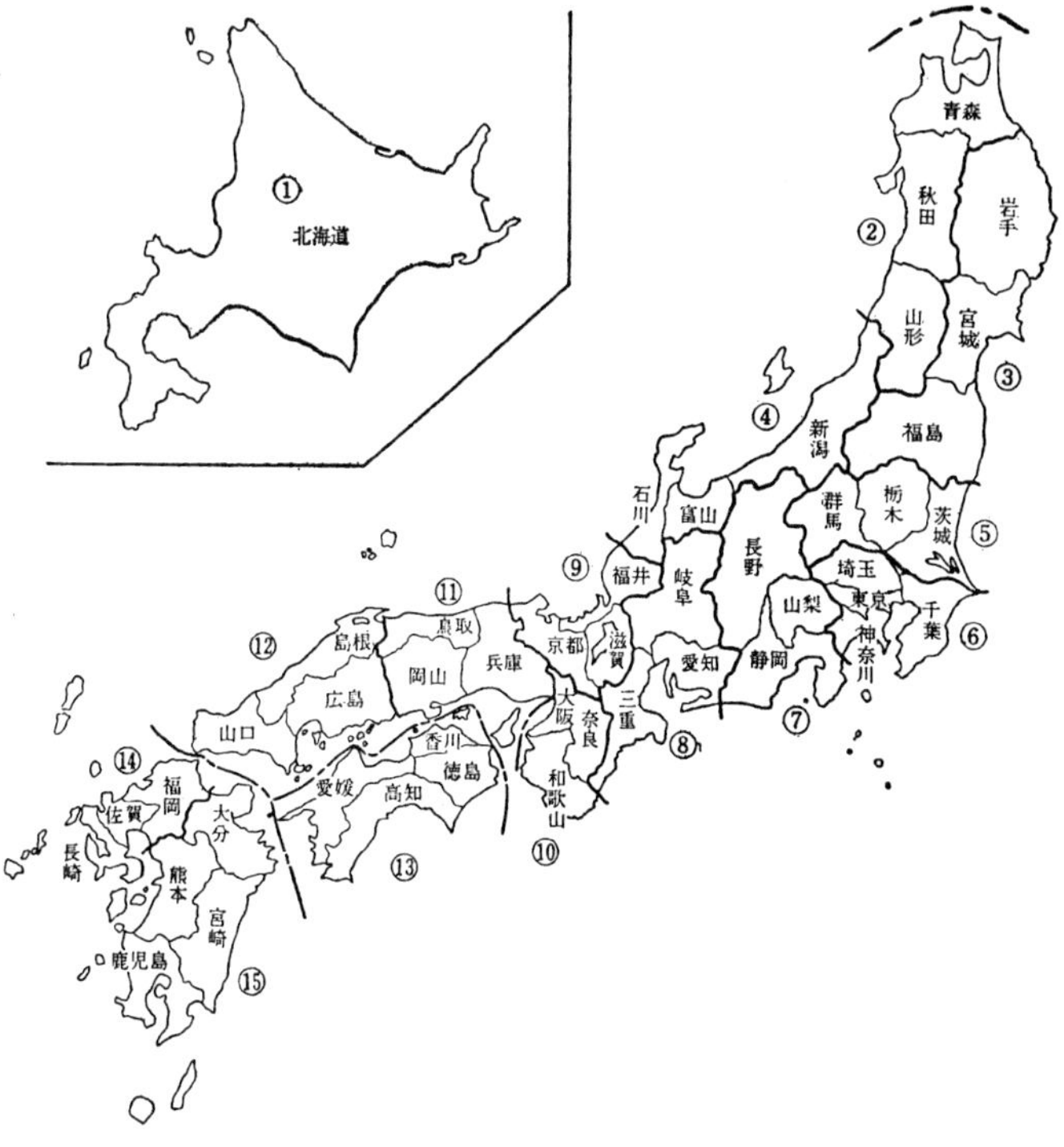

事項 / 単位 / 区分	人口	面積	国民所得		租税負担額	
			総額	一人当り	総額	一人当り
	人	km²	百万円	円	百万円	円
1	4,773,087	78,486.06	332,409	69,642	50,739	10,630
2	4,085,043	30,569.88	196,956	48,214	26,814	6,564
3	5,249,399	36,269.25	217,307	41,397	34,236	6,522
4	4,460,800	21,023.42	284,869	63,860	38,340	8,595
5	5,225,166	18,865.18	213,555	40,870	31,807	6,087
6	15,424,264	13,232.50	1,495,897	96,983	370,994	24,053
7	5,478,771	25,865.65	285,978	52,197	50,940	9,297
8	6,838,396	21,303.13	448,603	65,601	83,983	12,281
9	3,542,950	12,911.65	251,360	70,947	43,518	12,283
10	6,401,988	10,235.00	567,052	88,574	139,674	21,817
11	5,025,006	18,879.82	415,805	70,178	92,121	15,548
12	4,687,949	21,147.63	288,475	61,535	50,103	10,688
13	4,245,243	18,772.05	205,237	48,345	25,076	5,907
14	6,581,109	11,380.06	407,078	61,856	68,355	10,387
15	6,356,358	30,664.23	279,913	43,772	35,677	5,613

（注）1　人口は、昭和30年国勢調査による。

2　面積は、昭和30,31年版日本統計年鑑による。

3　国民所得は、昭和28年度国民経済研究協会調による分配所得である。

4　租税負担額は、昭和31年5月31日現在における、「昭和30年度国税収納済額」（国税庁調)、「昭和30年度道府県税徴収実績調（決算見込額）中収入額」（自治庁調）及び（昭和30年度市町村税徴収実績に関する調中収入額」（自治庁調）の合算額による。なお、租税負担額には、関税、とん税、国民健康保険税及び専売益金は含まれていない。

第二案　(16「県」)

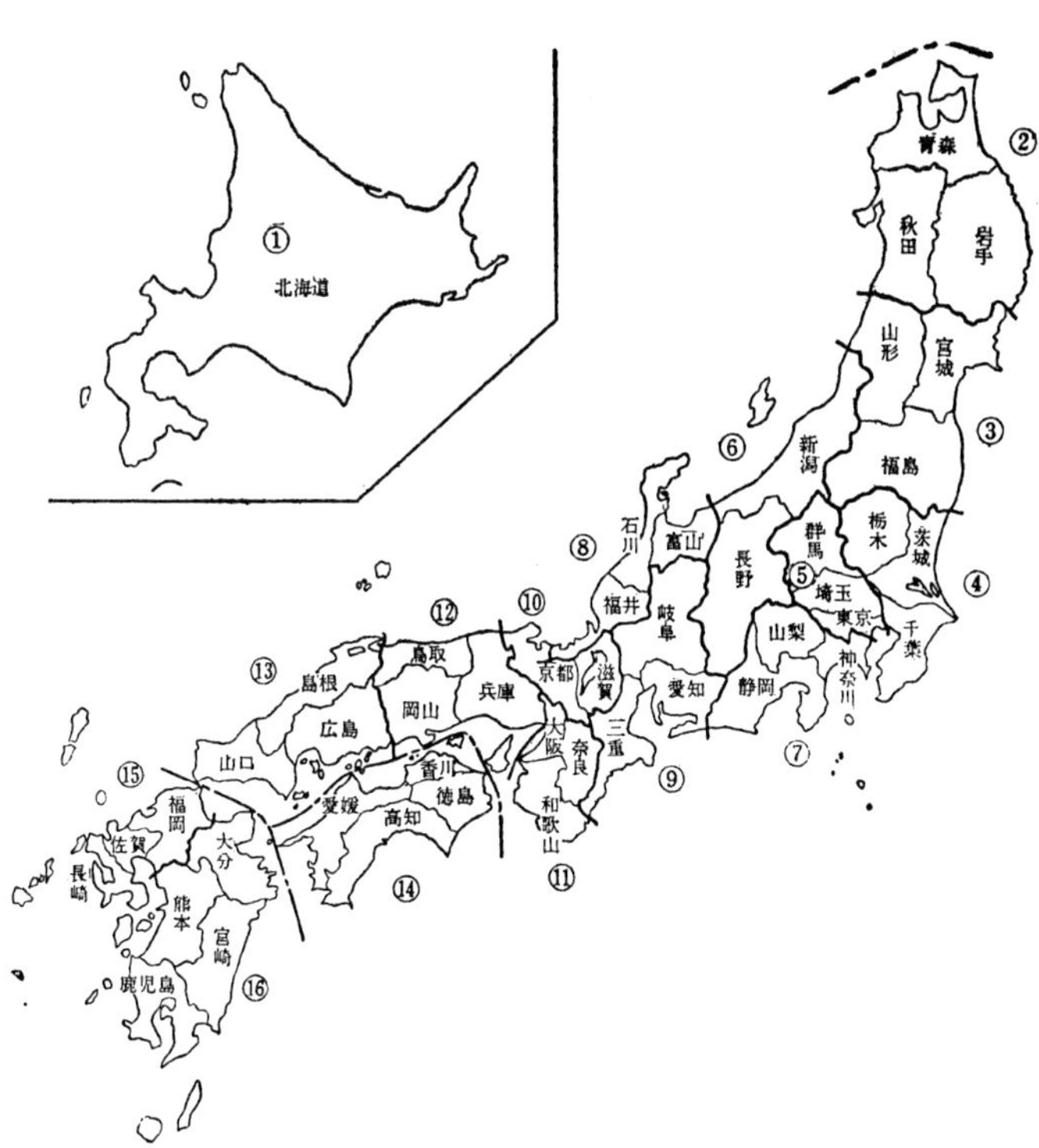
①
北海道
②
青森
秋田
岩手
山形
宮城
③
新潟
福島
⑥
群馬
栃木
茨城
石川
富山
長野
⑧
⑤
埼玉
④
福井
岐阜
東京
千葉
⑩
⑫
山梨
鳥取
京都
滋賀
愛知
静岡
神奈川
⑬
島根
兵庫
岡山
広島
大阪
三重
奈良
⑦
山口
香川
⑨
⑮
徳島
福岡
愛媛
高知
和歌山
佐賀
大分
長崎
⑭
⑪
熊本
宮崎
鹿児島
⑯

事項／単位／区分	人口	面積	国民所得		租税負担額	
			総額	一人当り	総額	一人当り
	人	km²	百万円	円	百万円	円
1	4,773,087	78,486.06	332,409	69,642	50,738	10,630
2	4,158,491	36,468.61	168,691	40,565	25,478	6,127
3	5,175,951	30,370.52	245,572	47,445	35,572	6,873
4	5,816,677	17,063.22	260,717	44,822	37,384	6,427
5	11,913,256	12,173.33	1,211,131	101,662	298,013	25,015
6	4,494,784	26,201.42	258,493	57,510	35,591	7,918
7	6,376,976	14,695.82	432,398	67,806	103,329	16,203
8	2,741,363	12,706.83	157,028	57,281	23,787	8,676
9	6,838,396	21,303.13	448,603	65,601	83,982	12,281
10	2,788,895	8,657.78	211,892	75,977	37,498	13,445
11	6,401,988	10,235.00	567,052	88,574	139,674	21,817
12	5,925,006	18,879.82	415,805	70,178	92,121	15,548
13	4,687,949	21,147.63	288,475	61,535	50,103	10,688
14	4,245,243	18,772.05	205,237	48,345	25,076	5,907
15	6,581,109	11,380.06	407,078	61,856	68,355	10,387
16	6,356,358	30,664.23	277,913	43,772	35,677	5,613

（注） 1　人口は、昭和30年国勢調査による。

2　面積は、昭和30,31年版日本統計年鑑による。

3　国民所得は、昭和28年度国民経済研究協会調による分配所得である。

4　租税負担額は、昭和31年5月31日現在における、「昭和30年度国税収納済額」（国税庁調）、「昭和30年度道府県税徴収実績調（決算見込額）中収入額」（自治庁調）及び「昭和30年度市町村税徴収実績に関する調中収入額」（自治庁調）の合算額による。なお、租税負担額には、関税、とん税、国民健康保険税及び専売益金は含まれていない。

第三案　(17「県」)

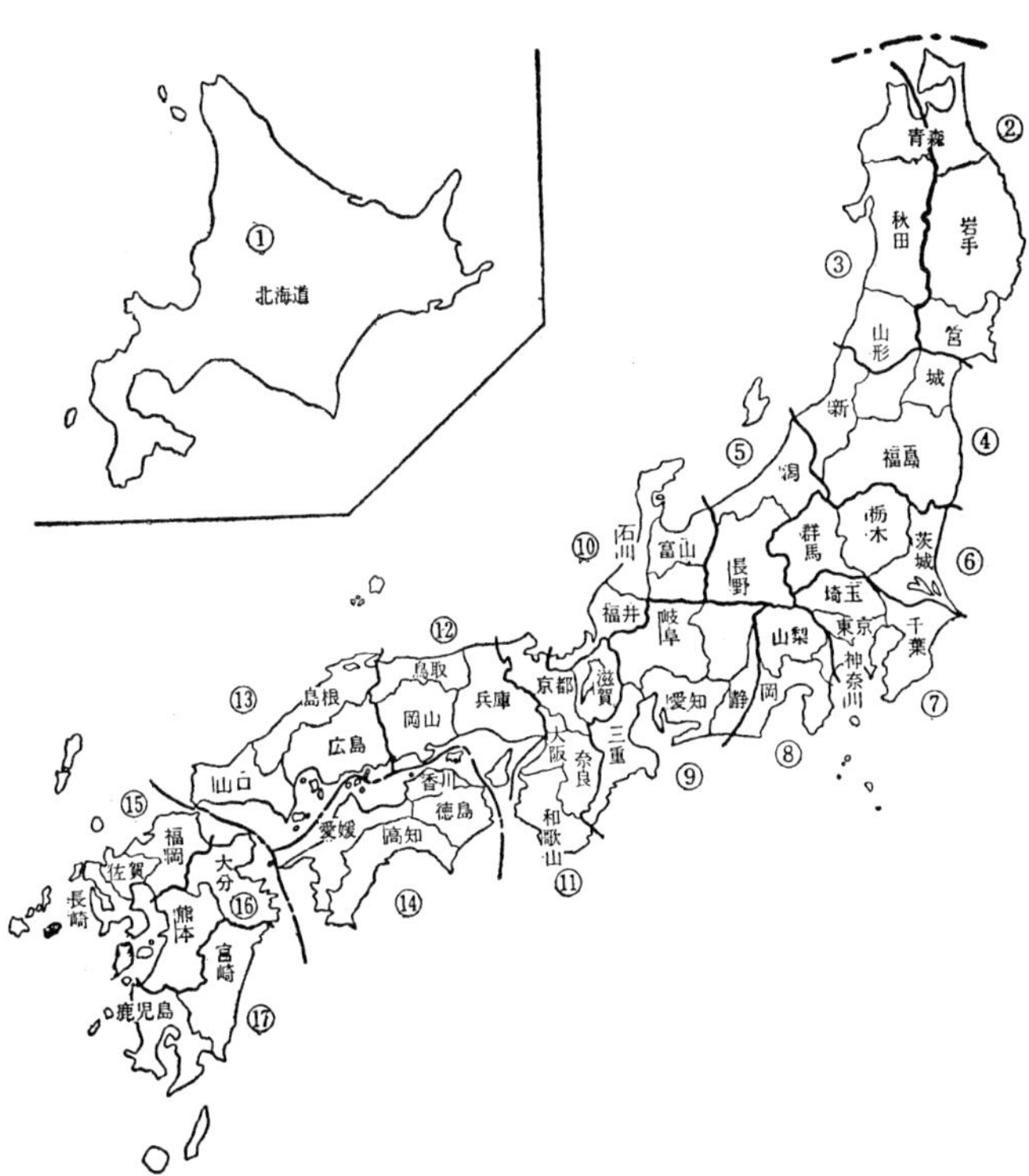
①
北海道
②
青森
秋田
岩手
③
山形
宮
城
新
潟
④
福島
⑤
⑩
石
川
富山
長
野
群
馬
栃
木
茨
城
⑥
埼玉
東京
千
葉
福井
岐
阜
山梨
神
奈
川
⑦
⑫
鳥取
島根
⑬
岡山
兵庫
京都
滋
賀
愛知
静
岡
⑧
広島
大
阪
奈
良
三
重
⑨
山口
香川
徳島
和
歌
山
⑪
⑮
福
岡
愛媛
高知
⑭
佐賀
大
分
⑯
長
崎
熊
本
宮
崎
鹿児島
⑰

（参考二）事務配分及び国の地方出先機関の整理統合に関する試案

一　現在府県又はその機関が処理している事務のうち、市町村又はその機関に移譲するものとして、たとえば、次のような事務につき検討を加えること。

1　社会福祉に関する事務
2　保健衛生に関する事務
3　農業改良及び植物防疫に関する事務
4　建築基準に関する事務
5　その他住民の日常生活に直結する事務

二　現在国が処理している事務のうち、「県」又はその機関に移譲するものとして、たとえば、次のような事務につき検討を加えること。

1　社会福祉法人の設立の認可その他の監督
2　水道事業の認可その他の監督
3　医薬品等製造業者、毒物劇物製造業者等の登録その他の監督
4　蚕種製造業者等の許可その他の監督
5　漁港の指定等の事務
6　計量器の製造業者等の許可その他の監督
7　火薬類の製造業者等の許可その他の監督
8　都市計画及び都市計画事業の決定
9　建築用途地域等の指定

三　現在国が処理している事務のうち、市町村又はその機関に移譲するものとして、たとえば、民生委員の任免のような事務につき検討を加えること。

四　事務配分に伴い廃止され又は「県」に統合される国の地方出先機関として、答申中に掲げるもののほか、たとえば、次のようなものにつき検討を加えること。

1　管区警察局
2　調達局連絡事務所
3　地方行政監察局
4　北海道開発局（北海道の場合）
5　地方法務局
6　財務部

二 地方制度調査会委員名簿（三二・一〇・一一現在）

（国会）

衆議院議員（自民） 永田亮一
同（同） 床次徳二
同（同） 古井喜実
同（同） 吉田重延
同（同） 纐纈弥三
同（同） 徳田与吉郎
同（同） 渡海元三郎
同（社会） 大矢省三
同（同） 北山愛郎
同（同） 中井徳次郎
参議院議員（自民） 青柳秀夫
同（同） 小幡治和
同（同） 小林武治
同（同） 佐野広
同（社会） 松浦清一
同（同） 加瀬完
同（緑風） 加賀山之雄

（関係行政機関）

総理府総務副長官 藤原節夫
法制局長官 林修三
行政管理事務次官 岡松進次郎
自治事務次官 鈴木俊一
大蔵事務次官 森永貞一郎

（地方公共団体）

大阪府知事 赤間文三
茨城県知事 友末洋治
川崎市長 金刺不二太郎
大阪市長 中井光次
千葉県小見川町長 山本力蔵
岡山県美作町長 水嶋計次郎
東京都議会議長 上条貢
鹿児島県議会議長 米山恒治
横浜市議会議長 津村峯男
山形市議会議長 山本竹司
埼玉県蕨町議会議長 岡田徳輔
大分県佐賀関町議会議長 須川勝造

（学識経験者）

一橋大学学長	井藤半弥
小松製作所社長	河合良成
産経時事論説委員	近藤　操
弁護士	坂　千秋
京都大学名誉教授	汐見三郎
日米通信社社長	高田元三郎
東京大学教授	田中二郎
読売新聞社副社長	高橋雄豺
大和銀行頭取	寺尾威夫
京都大学教授	長浜政寿
国家公安委員	野村秀雄
元内務次官	挾間　茂
日本ユネスコ国内委員会会長	前田多門
日本専売公社総裁	松隈秀雄
公営企業金融公庫理事長	三好重夫
元農商次官	湯河元威

（臨時委員）

東京大学教授	安芸皎一
早稲田大学教授	時子山常三郎
商工組合中央金庫理事長	村瀬直養

落丁・乱丁本はお取替いたします。

昭和三十二年十二月二十日　初版第一刷印刷
昭和三十二年十二月三十日　初版第一刷発行

府県制度改革批判
—地方制度調査会の答申をめぐって—

著作權所有

編者　代表者　田中二郎（たなかじろう）

発行者　江草四郎
東京都千代田区神田神保町二ノ十七

印刷者　中内佐光
東京都千代田区飯田町一ノ二三

発行所　株式会社　有斐閣
東京都千代田区神田神保町二丁目十七番地
電話　九段(33)〇三二三・〇三四四
本郷支店　文京区東京大学正門前
京都支店　左京区北白川追分町一

印刷　暁印刷株式会社
製本　稲村製本所

© 1957, Printed in Japan

府県制度改革批判　―地方制度調査会の答申をめぐって―
(オンデマンド版)

2014年12月15日　発行

編　者　　田中　二郎・俵　静夫・鵜飼　信成
発行者　　江草　貞治
発行所　　株式会社 有斐閣
〒101-0051　東京都千代田区神田神保町2-17
TEL　03(3264)1314(編集)　03(3265)6811(営業)
URL　http://www.yuhikaku.co.jp/

印刷・製本　　株式会社 デジタルパブリッシングサービス
URL　http://www.d-pub.co.jp/

©2014,塩野祥子・原友次郎・鵜飼謙二
AH223

ISBN4-641-91604-7
Printed in Japan
本書の無断複製複写(コピー)は,著作権法上での例外を除き,禁じられています